48

COLLECTION TEL

Maurice Merleau-Ponty

La prose
du monde

TEXTE ÉTABLI
ET PRÉSENTÉ PAR
CLAUDE LEFORT

Gallimard

P
106
. M38
1969

AVERTISSEMENT

L'ouvrage que Maurice Merleau-Ponty se proposait d'intituler La prose du monde *ou* Introduction à la prose du monde *est inachevé. Sans doute devons-nous même penser que l'auteur l'abandonna délibérément et qu'il n'eût pas souhaité, vivant, le conduire à son terme, du moins dans la forme autrefois ébauchée.*

Ce livre devait constituer, lorsqu'il fut commencé, la première pièce d'un diptyque — la seconde revêtant un caractère plus franchement métaphysique — dont l'ambition était d'offrir, dans le prolongement de la Phénoménologie de la perception, *une théorie de la vérité. De l'intention qui commandait cette entreprise nous possédons un témoignage, d'autant plus précieux que les notes ou les esquisses de plan retrouvées sont d'un faible secours. Il s'agit d'un rapport adressé par l'auteur à M. Martial Gueroult, à l'occasion de sa candidature au Collège de France [1], Merleau-Ponty énonce, dans ce document, les idées maîtresses de ses premiers travaux publiés, puis signale qu'il s'est engagé depuis 1945 dans de nouvelles recherches qui sont*

1. *Un inédit de Merleau-Ponty.* Revue de Métaphysique et de Morale, nº 4, 1962, A. Colin.

destinées « à fixer définitivement le sens philosophique des premières », *et rigoureusement articulées à
celles-ci puisqu'elles reçoivent d'elles leur* « itinéraire »
et leur « méthode ».

« Nous avons cru trouver dans l'expérience du
monde perçu, *écrit-il,* un rapport d'un type nouveau
entre l'esprit et la vérité. L'évidence de la chose
perçue tient à son aspect concret, à la texture
même de ses qualités, à cette équivalence entre toutes
ses propriétés sensibles qui faisait dire à Cézanne
qu'on devait pouvoir peindre jusqu'aux odeurs. C'est
devant notre existence indivise que le monde est
vrai ou existe; leur unité, leurs articulations se
confondent et c'est dire que nous avons du monde
une notion globale dont l'inventaire n'est jamais
achevé, et que nous faisons en lui l'expérience d'une
vérité qui transparaît ou nous englobe plutôt que
notre esprit ne la détient et ne la circonscrit. Or, si
maintenant nous considérons, au-dessus du perçu, le
champ de la connaissance proprement dite, où l'esprit
veut posséder le vrai, définir lui-même des objets et
accéder ainsi à un savoir universel et délié des
particularités de notre situation, l'ordre du perçu ne
fait-il pas figure de simple apparence, et l'entendement pur n'est-il pas une nouvelle source de connaissance en regard de laquelle notre familiarité perceptive avec le monde n'est qu'une ébauche informe?
Nous sommes obligés de répondre à ces questions
par une théorie de la vérité d'abord, puis par une
théorie de l'intersubjectivité auxquelles nous avons
touché dans différents essais, tels que *Le doute de
Cézanne, Le roman et la métaphysique,* ou, en ce qui
concerne la philosophie de l'histoire, *Humanisme et*

terreur, mais dont nous devons élaborer en toute rigueur les fondements philosophiques. La théorie de la vérité fait l'objet de deux livres auxquels nous travaillons maintenant. »

Ces deux livres sont nommés un peu plus loin : Origine de la vérité *et* Introduction à la prose du monde. *Merleau-Ponty définit leur commun propos qui est de fonder sur la découverte du corps comme corps actif ou puissance symbolique* « une théorie concrète de l'esprit qui nous le montrera dans un rapport d'échange avec les instruments qu'il se donne »... *Pour nous refuser à tout commentaire qui risquerait d'induire abusivement les pensées du lecteur, bornons-nous à indiquer que la théorie concrète de l'esprit devait s'ordonner autour d'une idée neuve de l'expression qu'il y aurait à délivrer et de l'analyse des gestes ou de l'usage mimique du corps et de celle de toutes les formes de langage, jusqu'aux plus sublimées du langage mathématique. Il importe, en revanche, d'attirer l'attention sur les quelques lignes qui précisent le dessein de* La prose du monde *et font état du travail accompli.*

« En attendant de traiter complètement ce problème (celui de la pensée formelle et du langage) dans l'ouvrage que nous préparons sur l'*Origine de la vérité*, nous l'avons abordé par son côté le moins abrupt dans un livre dont la moitié est écrite et qui traite du langage littéraire. Dans ce domaine, il est plus aisé de montrer que le langage n'est jamais le simple vêtement d'une pensée qui se posséderait elle-même en toute clarté. Le sens d'un livre est premièrement donné non tant par les idées, que par une variation systématique et insolite des modes du

langage et du récit ou des formes littéraires existantes. Cet accent, cette modulation particulière de
la parole, si l'expression est réussie, est assimilée
peu à peu par le lecteur et lui rend accessible une
pensée à laquelle il était quelquefois indifférent ou
même rebelle d'abord. La communication en littérature n'est pas simple appel de l'écrivain à des
significations qui feraient partie d'un *a priori* de
l'esprit humain : bien plutôt elles les y suscitent par
entraînement ou par une sorte d'action oblique.
Chez l'écrivain la pensée ne dirige pas le langage
du dehors : l'écrivain est lui-même comme un nouvel
idiome qui se construit, s'invente des moyens
d'expression et se diversifie selon son propre sens.
Ce qu'on appelle poésie n'est peut-être que la partie
de la littérature où cette autonomie s'affirme avec
ostentation. Toute grande prose est aussi une recréa-
tion de l'instrument signifiant, désormais manié selon
une syntaxe neuve. Le prosaïque se borne à toucher
par des signes convenus des significations déjà
installées dans la culture. La grande prose est l'art
de capter un sens qui n'avait jamais été objectivé
jusque-là et de le rendre accessible à tous ceux qui
parlent la même langue. Un écrivain se survit quand
il n'est plus capable de fonder ainsi une universalité
nouvelle et de communiquer dans le risque. Il nous
semble qu'on pourrait dire aussi des autres institutions qu'elles ont cessé de vivre quand elles se
montrent incapables de porter une poésie des rapports
humains, c'est-à-dire l'appel de chaque liberté à
toutes les autres. Hegel disait que l'État romain
c'est la *prose du monde*. Nous intitulerons *Introduction à la prose du monde* ce travail qui devrait, en

élaborant la catégorie de prose, lui donner, au-delà de la littérature, une signification sociologique. »

Ce texte constitue assurément la meilleure des présentations de l'ouvrage que nous publions. Il a aussi le mérite de jeter quelque lumière sur les dates de sa rédaction. Adressé à M. Gueroult peu de temps avant l'élection du Collège de France — laquelle se déroula en février 1952 —, nous ne doutons pas qu'il se réfère aux cent soixante-dix pages retrouvées dans les papiers du philosophe après sa mort. Ce sont bien ces pages qui forment la première moitié du livre alors interrompu. Notre conviction se fonde en effet sur deux observations complémentaires. La première est qu'en août 1952 Merleau-Ponty rédige une note qui porte l'inventaire des thèmes déjà traités; or, celle-ci, malgré sa brièveté, désigne clairement l'ensemble des chapitres que nous possédons. La seconde est qu'entre le moment où il fait connaître à M. Gueroult l'état d'avancement de son travail et le mois d'août, le philosophe décide d'extraire de son ouvrage un chapitre important et de le modifier sensiblement pour le publier en essai dans Les Temps modernes : *celui-ci paraît en juin et en juillet de la même année, sous le titre* Le langage indirect et les voix du silence. *Or nous avons la preuve que ce dernier travail ne fut pas entrepris avant le mois de mars, car il fait référence en son début à un livre de M. Francastel,* Peinture et société, *qui ne sortit des presses qu'en février. Certes, ces quelques éléments ne permettent pas de fixer la date exacte à laquelle le manuscrit fut interrompu. Ils nous autorisent toutefois à penser qu'elle ne fut pas postérieure au tout début de l'année 1952. Peut-être se situe-t-elle quelques mois plus tôt. Mais comme nous savons, d'autre part, par une lettre que l'auteur adressait à sa femme, lors de l'été précédent, qu'il consacrait en vacances le principal de son travail à* La prose du monde, *il est légitime de supposer que l'arrêt eut lieu à l'automne 1951, ou au plus tard au commencement de l'hiver 1951-1952.*

Moins fermes, en revanche, sont les repères qui déterminent les premiers moments de l'entreprise. La rédaction du troisième chapitre — dont l'objet est de comparer le langage pictural et le langage littéraire — ne put être commencée avant la publication du dernier volume de la Psychologie de l'art, *soit avant juillet 1950 : les références à* La monnaie de l'absolu *ne laissent pas de doute sur ce point. A considérer le travail effectué sur l'ouvrage d'André Malraux, dont nous avons retrouvé la trace dans un long résumé-commentaire, nous serions déjà tenté de penser qu'elle en fut séparée par plusieurs semaines ou plusieurs mois. Qu'on n'oublie pas en effet que Merleau-Ponty enseignait à l'époque en Sorbonne et consacrait aussi une partie de son temps aux* Temps modernes. *L'hypothèse est renforcée par la présence de plusieurs références à un article de Maurice Blanchot —* Le musée, l'art et le temps —, *publié dans* Critique *en décembre 1950. Ce dernier indice nous renvoie de nouveau à l'année 1951.*

Rien n'interdit, il est vrai, de supposer que les deux premiers chapitres étaient presque entièrement rédigés quand l'auteur décida de prendre appui sur les analyses de Malraux. Un tel changement dans le cours de son travail n'est pas invraisemblable. Nous doutons seulement qu'il se soit produit, car toutes les esquisses de plan retrouvées prévoient un chapitre sur le langage et la peinture; tandis que l'état du manuscrit ne suggère pas une rupture dans la composition. En outre, il est significatif que l'exemple du peintre soit pris dans les dernières pages du second chapitre, avant de passer, suivant un enchaînement logique, au centre du troisième. Ainsi sommes-nous enclins à conclure que Merleau-Ponty écrivit la première moitié de son ouvrage dans l'espace d'une même année.

Mais il est sûr qu'il avait eu beaucoup plus tôt l'idée d'un livre sur le langage et, plus précisément, sur la littérature. Si l'œuvre de Malraux put peser sur son initiative, l'essai de Sartre, Qu'est-ce que la littérature, paru en 1947, fit sur lui une profonde impression et le confirma dans son intention de traiter des problèmes de l'expression. Un résumé substantiel de cet essai est rédigé en 1948 ou 1949 — soit après la publication, en mai 1948, de Situations II, auxquelles toutes les références sont empruntées — et accompagné d'un commentaire critique, qui manifeste parfois une opposition vigoureuse aux thèses de son auteur : or, de nombreuses idées qui feront la trame de La prose du monde y sont énoncées et déjà reliées à un projet en cours. Toutefois celui-ci n'a pas encore reçu une forme précise. Merleau-Ponty prend à l'époque la notion de prose dans une acception purement littéraire; il n'a trouvé ni le titre ni le thème général de son futur livre. Ainsi se contente-t-il de noter à la fin de son commentaire : « Il faut que je fasse une sorte de Qu'est-ce que la littérature?, avec une partie plus longue sur le signe et la prose, et non pas toute une dialectique de la littérature, mais cinq perceptions littéraires : Montaigne, Stendhal, Proust, Breton, Artaud. » Une note non datée, mais qui porte déjà le

titre de Prose du monde, *suggère qu'il imagine un
peu plus tard un ouvrage considérable, réparti en
plusieurs volumes, dont l'objet serait d'appliquer les
catégories redéfinies de prose et de poésie aux registres
de la littérature, de l'amour, de la religion et de la
politique. Ne s'y trouvent annoncées ni la discussion
des travaux des linguistes qui occupera ensuite une
place importante ni, ce qui est plus signicatif, une
étude de la peinture : son silence sur ce point laisse
supposer qu'il n'avait pas lu, à cette date, la* Psychologie de l'art, *ou mesuré le parti qu'il pouvait en
tirer pour une théorie de l'expression. Encore faut-il
se garder d'induire de cette note que l'intérêt de Merleau-Ponty pour la linguistique ou pour la peinture
n'était pas encore éveillé : il avait déjà interrogé les
travaux de Saussure et de Vendryès et les invoquait
notamment dans son commentaire de* Qu'est-ce que la
littérature? ; *son essai sur le* Doute de Cézanne,
publié dans Fontaine *en 1945 (avant d'être reproduit
dans* Sens et non-sens) *et rédigé plusieurs années
auparavant, et ses cours à la Faculté de Lyon témoignent,
d'autre part, de la place qu'avait prise dans ses recherches
la réflexion sur l'expression picturale. Tout au plus
peut-on avancer que, dans la première esquisse de* La
prose du monde, *il ne pense pas les exploiter et qu'il
ne le fera qu'en 1950 ou 1951, quand il aura décidé
de ramener son entreprise dans des bornes plus étroites.*

*Sur les motifs de cette décision, nous ne pouvons
encore que proposer une hypothèse. Disons seulement,
en tirant parti de la lettre à M. Gueroult, que l'idée
d'écrire un autre livre, l'*Origine de la vérité, *qui dévoi-
lerait le sens métaphysique de sa théorie de l'expression,
a pu le conduire à modifier et à réduire son projet*

primitif. Ne lui était-il pas nécessaire à cette fin, en effet, de lier aussitôt, comme il le fit, le problème de la systématicité de la langue et celui de son historicité, celui de la création artistique et celui de la connaissance scientifique, enfin celui de l'expression et celui de la vérité? Et nécessaire, simultanément, de subordonner un travail, désormais conçu comme préliminaire, à la tâche fondamentale qu'il entrevoyait? En bref, nous croyons que la dernière conception de La prose du monde *est l'indice d'un nouvel état de sa pensée. Quand Merleau-Ponty commence à écrire ce livre, il est déjà travaillé par un autre projet, qui n'annule pas celui en cours, mais en limite la portée.*

Si nous ne nous trompons pas, peut-être sommes-nous alors moins désarmés pour répondre à d'autres questions plus pressantes : pourquoi l'auteur interrompt-il la rédaction de son ouvrage en 1952, alors qu'il l'a déjà conduit à mi-chemin; cette interruption a-t-elle le sens d'un abandon; celui-ci d'un désaveu?

A certains signes l'on peut juger que le philosophe resta longtemps attaché à son entreprise. Au Collège de France, il choisit pour sujet de ses deux premiers cours, dans l'année 1953-1954, Le monde sensible et l'expression *et* L'usage littéraire du langage. *Ce dernier thème, en particulier, lui donne l'occasion de parler de Stendhal et de Valéry, auxquels, selon certaines notes, il comptait faire place dans son livre. L'année suivante, il traite encore du* Problème de la parole [1]. *C'est un fait pourtant qu'en dehors de son enseignement il travaille dans une autre direction. Il relit Marx, Lénine et Trotski, et accumule sur Max*

[1]. *Résumés de cours*, N.R.F., 1968.

Weber et sur Lukács des notes considérables : le but prochain est désormais la rédaction des Aventures de la dialectique, *qui verront le jour en 1955. Mais rien n'autorise à penser qu'il a fait à l'époque le sacrifice de* La prose du monde. *Tout au contraire, une note intitulée* révision du manuscrit *(au reste difficile à interpréter, car elle semble mêler au résumé du texte déjà rédigé des formulations neuves qui sont peut-être l'annonce d'importantes modifications) nous persuade, par la référence qu'elle porte à un cours professé en 1954-1955, que quatre ans au moins après la composition des premiers chapitres le projet est maintenu. Mais jusqu'à quand l'est-il? A défaut de repères datés, nous ne saurions risquer une hypothèse. Il faut seulement observer qu'avant 1959 divers brouillons tracent les ébauches d'un autre ouvrage qui porte le titre* Être et monde *ou celui de* Généalogie du vrai, *ou encore celui déjà connu d'*Origine de la vérité; *et, enfin, qu'en 1959 la publication dans* Signes du Langage indirect et les voix du silence *semble exclure celle de l'ouvrage laissé en suspens.*

A supposer toutefois que l'abandon fût définitif, on ne saurait nullement en induire qu'il portait condamnation du travail accompli. Le plus probable est que les raisons qui l'avaient incité, en 1951 ou un peu auparavant, à réduire les dimensions de son ouvrage sur l'expression, au profit d'un autre livre, lui interdisaient plus tard de reprendre le manuscrit interrompu. Le premier désir d'écrire un nouveau Qu'est-ce que la littérature?, *puis de rejoindre par cette voie le problème général de l'expression et de l'institution, était définitivement barré par celui d'écrire un nouveau* Qu'est-ce que la métaphysique? *Cette tâche ne rendait* pas vaine son ancienne entreprise, mais elle ne lui laissait pas la possibilité d'y revenir, et sans doute l'occupa-t-elle toujours davantage jusqu'à ce qu'elle prît corps dans Le visible et l'invisible [1], héritier en 1959 de l'Origine de la vérité.

Cependant l'on ne saurait se satisfaire d'invoquer des motifs psychologiques pour apprécier le changement qui s'opère dans les investissements du travail. Notre conviction est qu'il fut commandé par un profond bouleversement de la problématique élaborée dans les deux premières thèses. Qu'on consulte la lettre à M. Gueroult, ou l'exposé Titres et travaux qui soutient sa candidature au Collège, on verra qu'en ce temps Merleau-Ponty s'applique à souligner la continuité de ses anciennes et de ses nouvelles recherches. Qu'on se reporte ensuite aux notes qui accompagnent la rédaction du Visible et l'invisible, on devra convenir qu'il soumet alors à une critique radicale la perspective adoptée dans la Phénoménologie de la perception. De 1952 à 1959 une nouvelle exigence s'affirme, son langage se transforme : il découvre le leurre auquel sont attachées les « philosophies de la conscience », et que sa propre critique de la métaphysique classique ne l'en délivrait pas; il affronte la nécessité de donner un fondement ontologique aux analyses du corps et de la perception dont il était parti. Il ne suffit donc pas de dire qu'il se tourne vers la métaphysique et que cette intention l'éloigne de La prose du monde. Le mouvement qui le porte vers un nouveau livre est à la fois beaucoup plus violent, et plus fidèle à la première inspiration qu'on ne pourrait le supposer à considérer les genres

1. N.R.F., 1964.

dont semblent se réclamer les deux ouvrages. Car il est vrai que la métaphysique cesse de lui apparaître, dans les dernières années, comme le sol de toutes ses pensées, qu'il se laisse déporter hors de ses frontières, qu'il accueille une interrogation sur l'être qui ébranle l'ancien statut du sujet et de la vérité, que donc, en un sens, il va loin au-delà des positions soutenues dans les documents de 1952; et il est vrai aussi que la pensée du Visible et l'invisible *germe dans la première ébauche de* La prose du monde, *au travers des aventures qui, de modification en modification, trouvent leur aboutissement dans l'interruption du manuscrit — de telle sorte que l'impossibilité de poursuivre l'ancien travail n'est pas la conséquence d'un nouveau choix, mais son ressort.*

Certes, nous n'oublions pas les termes de la lettre à M. Gueroult. L'auteur juge en 1952 que La Structure du comportement *et la* Phénoménologie de la perception *apportent à ses nouvelles recherches leur* itinéraire *et leur* méthode : *telle est sans doute, à l'époque, la représentation qu'il se donne. Mais, justement, ce n'est qu'une représentation, qui ne vaut, comme lui-même nous l'a enseigné, que d'être confrontée avec la pratique, c'est-à-dire avec le langage de l'œuvre commencée, avec les pouvoirs effectifs de la prose. Or un lecteur qui connaît les derniers écrits de Merleau-Ponty ne lui donnera pas entièrement raison; il ne manquera pas d'entrevoir dans* La prose du monde *une nouvelle conception du rapport de l'homme avec l'histoire et avec la vérité, et de repérer dans la méditation sur le «* langage indirect » *les premiers signes de la méditation sur «* l'ontologie indirecte » *qui viendra nourrir* Le visible et l'invisible. *S'il relit les notes*

de ce dernier livre, il s'apercevra en outre que les
questions levées dans l'ancien manuscrit sont refor-
mulées en maint endroit, dans des termes voisins, et
— qu'il s'agisse de la langue, de la structure et de
l'histoire, ou de la création littéraire — promises à
s'inscrire dans l'ouvrage en cours. A la question posée :
l'abandon du manuscrit implique-t-il un désaveu? nous
répondons donc sans hésitation par la négative. Le
terme même d'abandon nous paraît équivoque. Qu'on
l'adopte s'il doit faire entendre que l'auteur n'aurait
jamais renoué avec le travail commencé dans la seule
intention de lui apporter le complément qui lui man-
quait. Mais qu'on admette, en revanche, que La prose
du monde, jusque dans la littéralité de certaines
analyses, aurait pu revivre dans le tissu du Visible
et l'invisible, si cette dernière œuvre n'avait elle-même
été interrompue par la mort du philosophe.

Il reste, dira-t-on, que le texte publié par nos soins
ne l'eût pas été par son auteur, que nous le présentons
comme la première moitié d'un livre, alors que la
seconde ne devait sans doute pas voir le jour, ou que,
l'eût-il composée, elle eût provoqué une si profonde
modification de la partie autrefois rédigée qu'il se fût
agi d'un autre ouvrage. Cela est vrai, et puisque les
éclaircissements que nous avons donnés ne rendent pas
superflus, mais, au contraire, requièrent de l'éditeur
une justification de son initiative, ajoutons que la publication se heurte à d'autres objections, car le troisième chapitre de La prose du monde avait déjà vu
le jour dans une version voisine, et le manuscrit révèle
des négligences, notamment des répétitions, auxquelles
l'écrivain n'aurait pas finalement consenti. Ces objec-

tions, nous nous les sommes formulées il y a longtemps, mais sans les juger consistantes. C'est peut-être un risque, avons-nous pensé, que de livrer au public un manuscrit écarté par son auteur, mais combien serait plus lourde la décision de le reléguer dans la malle d'où les siens l'avaient tiré, quand nous-même y avons trouvé un plus grand pouvoir de comprendre l'œuvre du philosophe et d'interroger ce qu'il nous donne à penser. Quel dommage n'infligerait-on pas à des lecteurs qui, à présent plus encore qu'au temps où il écrivait, se passionnent pour les problèmes du langage, en les privant d'une lumière qu'on ne voit guère poindre ailleurs. A quelles conventions, enfin, obéirait-on donc qui l'emporteraient sur les exigences du savoir philosophique, et devant qui aurait-on à s'y soumettre quand s'est tu celui-là seul qui pouvait nous lier? Enfin ces pensées nous ont suffi : Merleau-Ponty dit dans La prose du monde ce qu'il n'a pas dit dans ses autres livres, qu'il aurait sans doute développé et repris dans Le visible et l'invisible, mais qui là même n'a pu venir à l'expression. Certes, le lecteur observera qu'une partie du texte est proche du Langage indirect et les voix du silence, mais s'il est attentif il mesurera aussi leur différence et tirera de leur comparaison un surcroît d'intérêt. Certes il ne manquera pas de relever les défauts de la composition, mais il serait bien injuste s'il ne convenait pas que Merleau-Ponty, même lorsqu'il lui arrive d'être au-dessous de soi-même, demeure un incomparable guide.

Claude Lefort

NOTE SUR L'ÉDITION

Le texte de *La prose du monde*, comme nous l'avons signalé, s'étend sur cent soixante-dix pages qui sont rédigées sur des feuilles volantes, du format courant pour machine à écrire; celles-ci sont pour la plupart couvertes au seul recto. Un certain nombre de feuillets portent d'abondantes corrections; il n'en est guère qui en soient exempts. Ni le titre de l'ouvrage ni la date ne sont mentionnés.

Le manuscrit comprend quatre parties expressément désignées par des chiffres romains : pages 1, 8, 53, 127. Nous en avons distingué deux autres par souci de la logique de la composition : une cinquième, page 145, en tirant parti d'un espace anormalement étendu en tête de la page; une sixième, page 163, suggérée par un signe (croix en triangle) et un espace analogue, également en tête de la page. L'ordonnance adoptée correspond aux indications de la note d'août 1952 (intitulée *révision du manuscrit*), qui porte six paragraphes, dont seuls les quatre premiers, il est vrai, sont numérotés.

Nous avons cru bon de donner des titres aux six chapitres ainsi constitués, car l'auteur n'en formule aucun. Leur seule fonction est de désigner le plus clairement possible le thème principal de l'argument. Les termes choisis par nous ont tous été empruntés au texte.

Les notes ou esquisses de plan retrouvées nous ont paru impubliables à la suite du texte, car elles sont dépourvues de date, parfois confuses ou très elliptiques, et discordantes. Il était d'autre part impossible d'en sélectionner quelques-unes sans céder à une interprétation qui eût à bon droit semblé arbitraire. Qu'il soit seulement permis de dire qu'elles suggèrent une seconde partie consacrée à l'examen de quelques échantillons littéraires — le plus souvent liés aux noms de Stendhal, Proust, Valéry, Breton et Artaud — et une troisième partie posant le problème de la prose du monde dans sa généralité, mais en regard de la politique et de la religion.

En revanche, nous avons voulu reproduire les annotations qui se trouvaient en marge du texte ou en bas de page. Celles-ci décourageront peut-être beaucoup de lecteurs, tant les formules sont condensées ou ardues, mais ils pourront les négliger sans inconvénient, tandis que d'autres en feront leur profit.

Dans la transcription, nous nous sommes fixé pour règle de limiter au plus étroit notre intervention. Quand l'erreur décelée était insignifiante (changement indû de genre ou de nombre), nous l'avons corrigée; dès que la rectification appelait une substitution de mots, nous avons fait une note pour attirer l'attention du lecteur par un *sic*. Les références ont été précisées ou complétés chaque fois que cela nous était possible.

Signalons enfin que les notes introduites par nous, qu'elles renvoient à une particularité du texte ou fassent place à des commentaires de l'auteur, sont précédées d'un astérisque. Celles qu'il voulait faire figurer sont précédées d'un chiffre arabe. Pour éviter toute confusion, son texte est en caractère romain; le nôtre en italique.

La convention adoptée pour indiquer les mots qui résistèrent à la lecture est la suivante : s'ils sont illisibles, [?]; s'ils sont douteux, mais probables, [sujet?].

C. L.

Le fantôme d'un langage pur

Voilà longtemps qu'on parle sur la terre et les trois quarts de ce qu'on dit passent inaperçus. *Une rose, il pleut, le temps est beau, l'homme est mortel.* Ce sont là pour nous les cas purs de l'expression. Il nous semble qu'elle est à son comble quand elle signale sans équivoque des événements, des états de choses, des idées ou des rapports, parce que, ici, elle ne laisse plus rien à désirer, elle ne contient rien qu'elle ne montre et nous fait glisser à l'objet qu'elle désigne. Le dialogue, le récit, le jeu de mots, la confidence, la promesse, la prière, l'éloquence, la littérature, enfin ce langage à la deuxième puissance où l'on ne parle de choses ni d'idées que pour atteindre quelqu'un, où les mots répondent à des mots, et qui s'emporte en lui-même, se construit au-dessus de la nature un royaume bourdonnant et fiévreux, nous le traitons comme simple variété des formes canoniques qui énoncent *quelque chose.* Exprimer, ce n'est alors rien de plus que remplacer une perception ou une idée par un signal convenu qui l'annonce, l'évoque ou l'abrège. Bien sûr, il n'y a pas que des phrases toutes faites et une langue est capable de signaler ce qui n'a

jamais été vu. Mais comment le pourrait-elle si le
nouveau n'était fait d'éléments anciens, déjà expri-
més, s'il n'était entièrement définissable par le vocabulaire et les rapports de syntaxe de la langue en
usage? La langue dispose d'un certain nombre de
signes fondamentaux, arbitrairement liés à des significations clefs; elle est capable de recomposer toute
signification nouvelle à partir de celles-là, donc de
les dire dans le même langage, et finalement l'expression exprime parce qu'elle reconduit toutes nos expériences au système de correspondances initiales entre
tel signe et telle signification dont nous avons pris
possession en apprenant la langue, et qui est, lui,
absolument clair, parce qu'aucune pensée ne traîne
dans les mots, aucun mot dans la pure pensée de
quelque chose. Nous vénérons tous secrètement cet
idéal d'un langage qui, en dernière analyse, nous
délivrerait de lui-même en nous livrant aux choses.
Une langue, c'est pour nous cet appareil fabuleux
qui permet d'exprimer un nombre indéfini de pensées
ou de choses avec un nombre fini de signes, parce
qu'ils ont été choisis de manière à recomposer exactement tout ce qu'on peut vouloir dire de neuf et à
lui communiquer l'évidence des premières désigna-
tions de choses.

Puisque l'opération réussit, puisqu'on parle et
qu'on écrit, c'est que la langue, comme l'entendement de Dieu, contient le germe de toutes les significations possibles, c'est que toutes nos pensées sont
destinées à être dites par elle, c'est que toute signification qui paraît dans l'expérience des hommes
porte en son cœur sa formule, comme, pour les
enfants de Piaget, le soleil porte en son centre son

nom. Notre langue retrouve au fond des choses une parole qui les a faites.

Ces convictions n'appartiennent pas qu'au sens commun. Elles règnent sur les sciences exactes (mais non pas, comme nous verrons, sur la linguistique). On va répétant que la science est une langue bien faite. C'est dire aussi que la langue est commencement de science, et que l'algorithme est la forme adulte du langage. Or, il attache à des signes choisis des significations définies à dessein et sans bavures. Il fixe un certain nombre de rapports transparents; il institue, pour les représenter, des symboles qui par eux-mêmes ne disent rien, qui donc ne diront jamais plus que ce qu'on a convenu de leur faire dire. S'étant ainsi soustrait aux glissements de sens qui font l'erreur, il est, en principe, assuré de pouvoir, à chaque moment, justifier entièrement ses énoncés par recours aux définitions initiales. Quand il s'agira d'exprimer dans le même algorithme des rapports pour lesquels il n'était pas fait ou, comme on dit, des problèmes « d'une autre forme », peut-être sera-t-il nécessaire d'introduire de nouvelles définitions et de nouveaux symboles. Mais si l'algorithme remplit son office, s'il veut être un langage rigoureux et contrôler à chaque moment ses opérations, il ne faut pas que rien d'implicite ait été introduit, il faut enfin que les rapports nouveaux et anciens forment ensemble une seule famille, qu'on les voie dériver d'un seul système de rapports possibles, de sorte qu'il n'y ait jamais excès de ce qu'on veut dire sur ce qu'on dit ou de ce qu'on dit sur ce qu'on veut dire, que le signe reste simple abréviation d'une pensée qui pourrait à chaque moment s'expliquer et

se justifier en entier. La seule vertu, — mais décisive, — de l'expression est alors de remplacer les
allusions confuses que chacune de nos pensées fait à
toutes les autres par des actes de signification dont
nous soyons vraiment responsables, parce que l'exacte
portée nous en est connue, de récupérer pour nous la
vie de notre pensée, et la valeur expressive de l'algorithme est tout entière suspendue au rapport sans
équivoque des significations dérivées avec les significations primitives, et de celles-ci avec des signes
par eux-mêmes insignifiants, où la pensée ne trouve
que ce qu'elle y a mis.

L'algorithme, le projet d'une langue universelle,
c'est la révolte contre le langage donné. On ne veut
pas dépendre de ses confusions, on veut le refaire à la
mesure de la vérité, le redéfinir selon la pensée de
Dieu, recommencer à zéro l'histoire de la parole, ou
plutôt arracher la parole à l'histoire. La parole de
Dieu, ce langage avant le langage que nous suppo-
sons toujours, on ne la trouve plus dans les langues
existantes, ni mêlée à l'histoire et au monde. C'est le
verbe intérieur qui est juge de ce verbe extérieur.
En ce sens, on est à l'opposé des croyances magiques
qui mettent le mot soleil dans le soleil. Cependant,
créé par Dieu avec le monde, véhiculé par lui et
reçu par nous comme un messie, ou préparé dans
l'entendement de Dieu par le système des possibles
qui enveloppe éminemment notre monde confus et
retrouvé par la réflexion de l'homme qui ordonne au
nom de cette instance intérieure le chaos des langues
historiques, le langage en tout cas ressemble aux
choses et aux idées qu'il exprime, il est la doublure
de l'être, et l'on ne conçoit pas de choses ou d'idées

qui viennent au monde sans mots. Qu'il soit mythique ou intelligible, il y a un lieu où tout ce qui est ou qui sera, se prépare en même temps à être dit.

C'est là chez l'écrivain une croyance d'état. Il faut toujours relire ces étonnantes phrases de La Bruyère que cite Jean Paulhan : « Entre toutes les différentes expressions qui peuvent rendre une seule de nos pensées, il n'y en a qu'une qui soit la bonne. On ne la rencontre pas toujours en parlant ou en écrivant : il est vrai néanmoins qu'elle existe [1]. » Qu'en sait-il? Il sait seulement que celui qui parle ou qui écrit est d'abord muet, tendu vers ce qu'il veut signifier, vers ce qu'il *va dire*, et que soudain le flot des mots vient au secours de ce silence, et en donne un équivalent si juste, si capable de rendre à l'écrivain lui-même sa pensée quand il l'aura oubliée, qu'il faut croire qu'elle était déjà parlée dans l'envers du monde. Puisque la langue est là comme un instrument bon à toutes fins, puisque, avec son vocabulaire, ses tournures et ses formes qui ont tant servi, elle répond toujours à l'appel et se prête à exprimer tout, c'est que la langue est le trésor de tout ce qu'on peut avoir à dire, c'est qu'en elle est écrite déjà toute notre expérience future, comme le destin des hommes est écrit dans les astres. Il s'agit seulement de *rencontrer* cette phrase déjà faite dans les limbes du langage, de capter les paroles sourdes que l'être murmure. Comme il nous semble que nos amis, étant ce qu'ils sont, ne pouvaient pas s'appeler autrement qu'ils s'appellent, qu'en leur donnant un nom on a seulement déchiffré ce qui était exigé par cette cou-

1. *Les Fleurs de Tarbes*, N.R.F., 1942, p. 128.

leur des yeux, cet air du visage, cette démarche,
— quelques-uns seulement sont mal nommés et
portent pour la vie, comme une perruque ou un
masque, un nom menteur ou un pseudonyme, —
l'expression et l'exprimé échangent bizarrement leurs
rôles et, par une sorte de fausse reconnaissance, il
nous semble qu'elle l'habitait de toute éternité.

Mais si les hommes déterrent un langage pré-
historique parlé dans les choses, s'il y a, en deçà de
nos balbutiements, un âge d'or du langage où les
mots tenaient aux choses mêmes, alors la communication est sans mystère. Je montre hors de moi un
monde qui parle déjà comme je montre du doigt un
objet qui était déjà dans le champ visuel des autres.
On dit que les expressions de la physionomie sont
par elles-mêmes équivoques et que cette rougeur du
visage est pour moi plaisir, honte, colère, chaleur ou
rougeur orgiaque selon que la situation l'indique. De
même la gesticulation linguistique n'importe rien
dans l'esprit de celui qui l'observe : elle lui montre
en silence des choses dont il sait déjà le nom, parce
qu'il est leur nom. Mais laissons le mythe d'un langage des choses, ou plutôt prenons-le dans sa forme
sublimée, celle d'une langue universelle, qui donc
enveloppe par avance tout ce qu'elle peut avoir à
dire parce que ses mots et sa syntaxe reflètent les
possibles fondamentaux et leurs articulations : la
conséquence est la même. Il n'y a pas de vertu de la
parole, aucun pouvoir caché en elle. Elle est pur
signe pour une pure signification. Celui qui parle
chiffre sa pensée. Il la remplace par un arrangement
sonore ou visible qui n'est rien que sons dans l'air
ou pattes de mouche sur un papier. La pensée se

sait et se suffit; elle se notifie au dehors par un message qui ne la porte pas, et qui la désigne seulement
sans équivoque à une autre pensée qui est capable de
lire le message parce qu'elle attache, par l'effet de
l'usage, des conventions humaines, ou d'une institution divine, la même signification aux mêmes signes.
En tout cas, nous ne trouvons jamais dans les paroles
des autres que ce que nous y mettons nous-mêmes,
la communication est une apparence, elle ne nous
apprend rien de vraiment neuf. Comment serait-elle
capable de nous entraîner au-delà de notre propre
pouvoir de penser, puisque les signes qu'elle nous
présente ne nous diraient rien si nous n'en avions
déjà par devers nous la signification? Il est vrai
qu'en observant comme Fabrice des signaux dans la
nuit, ou en regardant glisser sur les ampoules immobiles les lettres lentes et rapides du journal lumineux, il me semble voir naître là-bas une nouvelle.
Quelque chose palpite et s'anime : pensée d'homme
ensevelie dans la distance. Mais enfin ce n'est qu'un
mirage. Si je n'étais pas là pour percevoir une cadence
et identifier des lettres en mouvement, il n'y aurait
qu'un clignotement insignifiant comme celui des
étoiles, des lampes qui s'allument et s'éteignent,
comme l'exige le courant qui passe. La nouvelle
même d'une mort ou d'un désastre que le télé-
gramme m'apporte, ce n'est pas absolument une
nouvelle; je ne la reçois que parce que je savais
déjà que des *morts* et des *désastres* sont possibles.
Certes, l'*expérience* que les hommes ont du langage
n'est pas celle-là : ils aiment jusqu'à la folie causer
avec le grand écrivain, ils le visitent comme on va
voir la statue de saint Pierre, ils croient donc sour-

dement à des vertus secrètes de la communication.
Ils savent bien qu'une nouvelle est une nouvelle et
que rien ne sert d'avoir souvent pensé à la mort
tant qu'on n'a pas appris la mort de quelqu'un qu'on
aime. Mais dès qu'ils réfléchissent sur le langage, au
lieu de le vivre, ils ne voient pas comment on pourrait lui garder ces pouvoirs. Après tout, je comprends
ce qu'on me dit parce que je sais par avance le sens
des mots qu'on m'adresse *, et enfin je ne comprends
que ce que je savais déjà, je ne me pose d'autres
problèmes que ceux que je peux résoudre. Deux sujets
pensants fermés sur leurs significations, — entre eux
des messages qui circulent, mais qui ne portent rien,
et qui sont seulement occasion pour chacun de faire
attention à ce qu'il savait déjà, — finalement, quand
l'un parle et que l'autre écoute, des pensées qui se
reproduisent l'une l'autre, mais à leur insu, et sans
jamais s'affronter, — oui, comme le dit Paulhan, cette
théorie commune du langage aurait pour conséquence
« que tout se passât à la fin entre eux deux comme
s'il n'y avait pas eu langage [1] ».

---

* *En marge :* décrire le sens d'événement par opposition au sens
disponible.
1. *Les Fleurs de Tarbes,* p. 128.

La science et l'expérience
de l'expression

Or, c'est bien un résultat du langage de se faire oublier, dans la mesure où il réussit à exprimer. A mesure que je suis captivé par un livre, je ne vois plus les lettres sur la page, je ne sais plus quand j'ai tourné la page, à travers tous ces signes, tous ces feuillets, je vise et j'atteins toujours le même événement, la même aventure, au point de ne plus même savoir sous quel angle, dans quelle perspective ils m'ont été offerts, comme, dans la perception naïve, c'est un homme avec une taille d'homme que je vois là-bas et je ne pourrais dire sous quelle « grandeur apparente » je le vois qu'à condition de fermer un œil, de fragmenter mon champ de vision, d'effacer la profondeur, de projeter tout le spectacle sur un unique plan illusoire, de comparer chaque fragment à quelque objet proche comme mon crayon, qui lui assigne enfin une grandeur propre. Les deux yeux ouverts, la comparaison est impossible, mon crayon est objet proche, les lointains sont les lointains, de lui à eux il n'y a pas de communes mesures, ou bien, si je réussis la comparaison pour un objet du paysage, je ne puis en tout cas la faire en même

temps pour les autres objets. L'homme là-bas n'a
ni un centimètre ni un mètre soixante-quinze, c'est
un homme-à-distance, sa grandeur est là comme un
sens qui l'habite, non comme un caractère observable, et je ne sais rien des prétendus signes par
lesquels mon œil me l'annoncerait. Ainsi un grand
livre, une grande pièce, un poème est dans mon
souvenir comme un bloc. Je puis bien, en revivant
la lecture ou la représentation, me rappeler tel
moment, tel mot, telle circonstance, tel tournant
de l'action. Mais en le faisant, je monnaie un souvenir qui est unique et qui n'a pas besoin de ces détails
pour demeurer dans son évidence, aussi singulier
et inépuisable qu'une chose vue. Cette conversation qui m'a frappé, et où, pour une fois, j'ai vraiment eu le sentiment de parler à quelqu'un, je la
sais tout entière, je pourrai demain la raconter à
ceux qu'elle intéresse, mais, si vraiment elle m'a
passionné comme un livre, je n'aurai pas à rassembler des souvenirs distincts l'un de l'autre, je la tiens
encore en mains comme une chose, le regard de ma
mémoire l'enveloppe, il me suffira de me réinstaller
dans l'événement pour que tout, les gestes de l'interlocuteur, ses sourires, ses hésitations, ses paroles
reparaissent à leur juste place. Quand quelqu'un,
— auteur ou ami, — a su s'exprimer, les signes
sont aussitôt oubliés, seul demeure le sens, et la
perfection du langage est bien de passer inaperçue.
   Mais cela même est la vertu du langage : c'est lui
qui nous jette à ce qu'il signifie; il se dissimule à
nos yeux par son opération même; son triomphe
est de s'effacer et de nous donner accès, par delà
les mots, à la pensée même de l'auteur, de telle sorte

qu'après coup nous croyons nous être entretenus avec lui sans paroles, d'esprit à esprit. Les mots une fois refroidis retombent sur la page à titre de simples signes, et justement parce qu'ils nous ont projetés bien loin d'eux, il nous semble incroyable que tant de pensées nous soient venues d'eux. C'est pourtant eux qui nous ont parlé, à la lecture, quand, soutenus par le mouvement de notre regard et de notre désir, mais aussi le soutenant, le relançant sans défaillance, ils refaisaient avec nous le couple de l'aveugle et du paralytique, — quand ils étaient grâce à nous, et nous étions grâce à eux parole plutôt que langage, et d'un seul coup la voix et son écho.

Disons qu'il y a deux langages : le langage après coup, celui qui est acquis, et qui disparaît devant le sens dont il est devenu porteur, — et celui qui se fait dans le moment de l'expression, qui va justement me faire glisser des signes au sens, — le langage parlé et le langage parlant. Une fois que j'ai lu *le* livre, il existe bien comme un individu unique et irrécusable par-delà les lettres et les pages, c'est à partir de lui que je retrouve les détails dont j'ai besoin et l'on peut même dire qu'au cours de la lecture, c'est toujours à partir du tout, comme il pouvait m'apparaître au point où j'en étais, que je comprenais chaque phrase, chaque cadence du récit, chaque suspension des événements, au point que, moi lecteur, je peux avoir le sentiment d'avoir créé le livre de part en part, comme le dit Sartre [1]. Mais enfin, ce n'est qu'après coup. Mais enfin, ce livre

---

1. « Qu'est-ce que la littérature? » *Les Temps modernes,* n° 17, février 1947, p. 791. Reproduit dans *Situations II,* N.R.F., p. 94.

que j'aime, je n'aurais pas pu le faire. Mais enfin, il
faut d'abord lire et, Sartre encore le dit très bien,
que la lecture « prenne » comme le feu prend [1].
J'approche l'allumette, j'enflamme un infime morceau de papier, et voilà que mon geste reçoit des
choses un secours inspiré, comme si la cheminée, le
bois sec n'attendaient que lui pour déclencher le
feu, comme si l'allumette n'avait été qu'une de ces
incantations magiques, un appel du semblable auquel
le semblable répond hors de toute mesure. Ainsi
je me mets à lire paresseusement, je n'apporte
qu'un peu de pensée — et soudain quelques mots
m'éveillent, le feu prend, mes pensées flambent,
il n'est plus rien dans le livre qui me laisse indifférent,
le feu se nourrit de tout ce que la lecture y jette. Je
reçois et je donne du même geste. J'ai donné ma
connaissance de la langue, j'ai apporté ce que je
savais sur le sens de ces mots, de ces formes, de cette
syntaxe. J'ai donné aussi toute une expérience des
autres et des événements, toutes les interrogations
qu'elle a laissées en moi, ces situations encore
ouvertes, non liquidées et aussi celles dont je ne
connais que trop l'ordinaire mode de résolution.
Mais le livre ne m'intéresserait pas tant s'il ne me
parlait que de ce que je sais. De tout ce que j'appor-
tais, il s'est servi pour m'attirer au-delà. A la faveur
de ces signes dont l'auteur et moi sommes convenus,
parce que nous parlons la même langue, il m'a fait
croire justement que nous étions sur le terrain déjà
commun des significations acquises et disponibles.
Il s'est installé dans mon monde. Puis, insensible-

1. *Ibid.*

ment, il a détourné les signes de leur sens ordinaire, et ils m'entraînent comme un tourbillon vers cet autre sens que je vais rejoindre. Je sais, avant de lire Stendhal, ce que c'est qu'un coquin et je peux donc comprendre ce qu'il veut dire quand il écrit que le fiscal Rossi est un coquin. Mais quand le fiscal Rossi commence à vivre, ce n'est plus lui qui est un coquin, c'est le coquin qui est un fiscal Rossi. J'entre dans la morale de Stendhal par les mots de tout le monde dont il se sert, mais ces mots ont subi entre ses mains une torsion secrète. A mesure que les recoupements se multiplient et que plus de flèches se dessinent vers ce lieu de pensée où je ne suis jamais allé auparavant, où peut-être, sans Stendhal, je ne serais jamais allé, tandis que les occasions dans lesquelles Stendhal les emploie indiquent toujours plus impérieusement le sens neuf qu'il leur donne, je me rapproche davantage de lui jusqu'à ce que je lise enfin ses mots dans l'intention même où il les écrivit. On ne peut imiter la voix de quelqu'un sans reprendre quelque chose de sa physionomie et enfin de son style personnel. Ainsi la voix de l'auteur finit par induire en moi sa pensée. Des mots communs, des épisodes après tout déjà connus, — un duel, une jalousie, — qui d'abord me renvoyaient au monde de tous fonctionnent soudain comme les émissaires du monde de Stendhal et finissent par m'installer sinon dans son être empirique, du moins dans ce moi imaginaire dont il s'est entretenu avec lui-même pendant cinquante années en même temps qu'il le monnayait en œuvres. C'est alors seulement que le lecteur ou l'auteur peut dire avec Paulhan : « Dans cet éclair du moins, j'ai été

toi [1]. » Je crée Stendhal, je suis Stendhal en le lisant,
mais c'est parce que d'abord il a su m'installer chez
lui. La royauté du lecteur n'est qu'imaginaire puisqu'il tient toute sa puissance de cette machine infer-
nale qu'est le livre, appareil à créer des significations.
Les rapports du lecteur avec le livre ressemblent à
ces amours où d'abord l'un des deux dominait,
parce qu'il avait plus d'orgueil ou de pétulance;
mais bientôt tout cela s'effondre et c'est l'autre,
plus taciturne et plus sage, qui gouverne. Le moment
de l'expression est celui où le rapport se renverse,
où le livre prend possession du lecteur. Le langage
parlé, c'est celui que le lecteur apportait avec lui,
c'est la masse des rapports de signes établis à significations disponibles, sans laquelle, en effet, il n'aurait pas pu commencer de lire, qui constitue la
langue et l'ensemble des écrits de cette langue, c'est
donc aussi l'œuvre de Stendhal une fois qu'elle aura
été comprise et viendra s'ajouter à l'héritage de la
culture. Mais le langage parlant, c'est l'interpellation
que le livre adresse au lecteur non prévenu, c'est
cette opération par laquelle un certain arrangement
des signes et des significations déjà disponibles en
vient à altérer, puis à transfigurer chacun d'eux et
finalement à sécréter une signification neuve, à
établir dans l'esprit du lecteur, comme un instrument désormais disponible, le langage de Stendhal.
Une fois acquis ce langage, je peux bien avoir l'illusion de l'avoir compris par moi-même : c'est qu'il
m'a transformé et rendu capable de le comprendre.
Après coup, tout se passe en effet comme s'il n'y

1. *Les Fleurs de Tarbes*, p. 138.

avait pas eu langage; et, après coup, je me flatte de comprendre Stendhal à partir de mon système de pensées, et c'est tout au plus si je lui concède avec parcimonie un secteur de ce système comme ceux qui remboursent une dette ancienne en empruntant au créancier. Peut-être à la longue cela sera-t-il vrai. Peut-être, grâce à Stendhal, dépasserons-nous Stendhal, mais c'est qu'il aura cessé de nous parler, c'est que ses écrits auront perdu pour nous leur vertu d'expression. Tant que le langage fonctionne vraiment, il n'est pas simple invitation, pour celui qui écoute ou qui lit, à découvrir en lui-même des significations qui y soient déjà. Il est cette ruse par laquelle l'écrivain ou l'orateur, touchant en nous ces significations-là, leur fait rendre des sons étranges, et qui paraissent d'abord faux ou dissonants, puis nous rallie si bien à son système d'harmonie que désormais nous le prenons pour nôtre. Alors de lui à nous, ce ne sont plus que de purs rapports d'esprit à esprit. Mais tout cela a commencé par la complicité de la parole et de son écho, ou, pour user du mot énergique que Husserl applique à la perception d'autrui, par « l'accouplement » du langage.

La lecture est un affrontement entre les corps glorieux et impalpables de ma parole et de celle de l'auteur. Il est bien vrai, comme nous le disions tout à l'heure, qu'elle nous jette à l'intention signifiante d'autrui par-delà nos pensées propres comme la perception aux choses mêmes par-delà une perspective dont je ne m'avise qu'après coup. Mais ce pouvoir même de me dépasser par la lecture je le tiens du fait que je suis sujet parlant, gesticulation linguistique, comme ma perception n'est possible que par mon

corps. Cette tache de lumière qui se marque en deux
points différents sur mes deux rétines, je la vois
comme une seule tache à distance parce que j'ai un
regard, un corps agissant qui prennent en face des
messages extérieurs l'attitude qui convient pour que le
spectacle s'organise, s'échelonne et s'équilibre. De
même, je vais droit au livre à travers le grimoire, parce
que j'ai monté en moi cet étrange appareil d'expression
qui est capable, non seulement d'interpréter les mots
selon les acceptions reçues et la technique du livre
selon les procédés déjà connus, mais encore de se
laisser transformer par lui et douer par lui de nouveaux organes. On n'aura pas idée du pouvoir du
langage tant qu'on n'aura pas fait état de ce langage
opérant ou constituant qui apparaît quand le langage constitué, soudain décentré et privé de son équilibre, s'ordonne à nouveau pour apprendre au lecteur, — et même à l'auteur, — ce qu'il ne savait ni
penser ni dire. Le langage nous mène aux choses
mêmes dans l'exacte mesure où, avant d'*avoir* une
signification, il *est* signification. Si l'on ne lui concède
que sa fonction seconde, c'est qu'on suppose donnée
la première, qu'on le suspend à une conscience de
vérité dont il est en réalité le porteur et enfin qu'on
met le langage avant le langage.

Nous chercherons ailleurs à préciser cette esquisse
et à donner une théorie de l'expression et de la vérité.
Il faudra alors éclairer ou justifier l'expérience de la
parole, par les acquisitions du savoir objectif, —
psychologie, pathologie de l'expression et linguistique. Il faudra aussi la confronter avec les philosophies qui pensent la dépasser et la traiter comme
une variété des purs actes de signification que la

réflexion nous ferait saisir sans reste. Notre but à présent n'est pas celui-là. Nous ne voulons que commencer cette recherche en tâchant de mettre au jour le fonctionnement de la parole dans la littérature et réservons donc pour un autre ouvrage des explications plus complètes. Comme cependant il est insolite de commencer l'étude de la parole par sa fonction, disons, la plus complexe, et d'aller de là au plus simple, nous avons à justifier le procédé en faisant entrevoir que le phénomène de l'expression, tel qu'il apparaît dans la parole littéraire, n'est pas une curiosité ou une fantaisie de l'introspection en marge de la philosophie ou de la science du langage, que l'étude objective du langage la rencontre aussi bien que l'expérience littéraire et que les deux recherches sont concentriques. Entre la science de l'expression, si elle considère son objet tout entier, et l'expérience vivante de l'expression, si elle est assez lucide, comment y aurait-il coupure? La science n'est pas vouée à un autre monde, mais à celui-ci, elle parle finalement des mêmes choses que nous vivons. Elle les construit en combinant les pures idées qu'elle définit comme Galilée a construit le glissement d'un corps sur un plan incliné à partir du cas idéal de la chute absolument libre. Mais enfin, les idées sont toujours assujetties à la condition d'illuminer l'opacité des faits et la théorie du langage doit se faire un chemin jusqu'à l'expérience des sujets parlants. L'idée d'un langage possible se forme et s'appuie sur le langage actuel que nous parlons, que nous sommes, et la linguistique n'est rien d'autre qu'une manière méthodique et médiate d'éclairer par tous les autres faits de langage cette parole qui se prononce en nous, et à laquelle, au milieu même de notre travail scientifique, nous demeurons attachés comme par un lien ombilical.

On voudrait se défaire de cette attache. Il serait agréable de quitter enfin la situation confuse et irritante d'un être qui est ce dont il parle, et de regarder le langage, la société, comme si l'on n'y était pas engagé, du point de vue de Sirius ou de l'entendement divin, — qui est sans point de vue. Une « eidétique du langage », une « grammaire pure » comme celle que Husserl esquissait au début de sa carrière — ou bien une logique qui ne garde des significations que les propriétés de forme qui justifient leurs transformations, ce sont deux manières, l'une « platonicienne », l'autre nominaliste, de parler de langage sans paroles ou du moins de telle manière que la signification des signes qu'on emploie, reprise et redéfinie, n'excède jamais ce qu'on y a mis et qu'on sait y trouver. Quant aux mots ou aux formes qui ne souffrent pas d'être ainsi recomposés, ils n'ont, par définition, aucun sens pour nous, et le non-sens ne pose pas de problèmes, l'interrogation n'étant que l'attente d'un oui ou d'un non qui la résoudront également en énoncé. On voudrait donc créer un système de significations délibérées qui traduise celles des langues dans tout ce qu'elles ont d'irrécusable et soit l'invariant auquel elles n'ajoutent que des confusions et du hasard. C'est par rapport à lui que l'on pourrait mesurer le pouvoir d'expression de chacune. Enfin le signe reprendrait sa pure fonction d'indice, sans aucun mélange de signification. Mais personne ne songe plus à faire une logique de l'invention, et ceux mêmes qui croient possible d'exprimer après coup dans un algorithme tout volontaire les énoncés acquis ne pensent donc pas que cette pure langue épuise l'autre ni ses significations la leur. Or, comment mettrait-on au compte du non-sens ce qui, dans les langues empiriques, excède les définitions de l'algorithme ou celles de la « grammaire pure », puisque c'est dans ce chaos prétendu que vont être aperçus les rapports nouveaux qui rendront nécessaire et possible d'introduire de nouveaux symboles?

Le nouveau une fois intégré, et l'ordre provisoirement rétabli, il ne peut être question de faire reposer sur lui-même le système de la logique et de la grammaire pure. On sait désormais que, toujours à la veille de signifier, il ne signifie rien par lui-même, puisque tout ce qu'il exprime est prélevé sur un langage de fait et sur une *omnitudo realitatis*, que, par principe, il n'embrasse pas. La pensée ne peut se fermer sur les significations qu'elle a délibérément reconnues, ni faire d'elles la mesure du sens, ni traiter la parole, et la langue commune, comme simples exemples d'elle-même, puisque c'est par elles, finalement, que l'algorithme veut dire quelque chose. Il y a au moins une interrogation qui n'est pas rien qu'une forme provisoire de l'énoncé, — et c'est celle que l'algorithme adresse infatigablement à la pensée de fait. Il n'y a pas de question particulière sur l'être à laquelle ne corresponde en lui un oui ou un non qui la termine. Mais la question de savoir pourquoi il y a des questions, et comment sont possibles ces non-êtres qui ne savent pas et voudraient savoir, ne saurait trouver réponse dans l'être.

La philosophie n'est pas le passage d'un monde confus à un univers de significations closes. Elle commence au contraire avec la conscience de ce qui ronge et fait éclater, mais aussi renouvelle et sublime nos significations acquises. Dire que la pensée, maîtresse d'elle-même, renvoie toujours à une pensée mêlée de langage, ce n'est pas dire qu'elle est aliénée, coupée par lui de la vérité et de la certitude. Il nous faut comprendre que le langage n'est pas un empêchement pour la conscience, qu'il n'y a pas de différence pour elle entre l'acte de s'atteindre et l'acte de s'exprimer, et que le langage, à l'état naissant et vivant, est le geste de reprise et de récupération qui me réunit à moi-même comme à autrui. Il nous faut penser la conscience *dans* les hasards du langage et impossible sans son contraire.

La psychologie d'abord nous fait redécouvrir avec le « je parle » une opération, des rapports, une dimension qui ne sont pas ceux de la pensée, au sens ordinaire du terme. « Je pense », cela signifie : il y a un certain lieu appelé « je », où faire et savoir qu'on fait ne sont pas différents, ou l'être se confond avec sa révélation à lui-même, où donc aucune intrusion du dehors n'est seulement concevable. Ce je-là ne saurait *parler*. Celui qui parle entre dans un système de relations qui le supposent et le rendent ouvert et vulnérable. Certains malades croient qu'on parle dans leur tête ou dans leur corps, ou bien qu'un autre leur parle quand c'est eux-mêmes qui articulent ou du moins ébauchent les mots. Quoi qu'on pense des rapports du malade et de l'homme sain, il faut bien que, dans son exercice normal, la parole soit d'une telle nature que nos variations maladives y soient et demeurent à chaque instant possibles. Il faut qu'il y ait en son centre quelque chose qui la rende susceptible de ces aliénations. Si l'on dit qu'il y a chez le malade des sensations bizarres ou confuses de son corps, ou, comme on disait, des « troubles de la cœnesthésie », c'est tout juste inventer une entité ou un mot au lieu de faire comprendre l'événement, c'est, comme on dit, baptiser la difficulté. En regardant mieux, on s'aperçoit que les « troubles de la cœnesthésie » poussent des ramifications partout, et qu'une cœnesthésie altérée c'est aussi un changement de nos rapports avec autrui. Je parle et je crois que mon cœur parle, je parle et je crois qu'on me parle, je parle et je crois que quelqu'un parle en moi ou même que quelqu'un savait ce que j'allais dire avant que je le dise, — tous ces phénomènes souvent associés doivent avoir un centre commun. Les psychologues le trouvent dans nos rapports avec autrui. « Le malade a l'impression d'être sans frontière vis-à-vis d'autrui... Ce que donne l'observation... c'est strictement... l'impuissance à maintenir la distinction de l'actif et du passif, du moi et d'autrui [1]. » Ces troubles de la parole sont donc liés à un trouble du corps propre et de la relation avec autrui. Mais comment comprendre ce lien? C'est que le parler et le comprendre sont les moments d'un seul système moi-autrui, et que le porteur de ce système n'est pas un « je » pur (qui ne verrait en lui qu'un de ses objets de pensée et se placerait *devant*), c'est le « je » doué d'un corps, et continuellement dépassé par ce corps, qui quelquefois lui dérobe ses pensées pour se les attribuer ou pour les imputer à un autre. Par mon langage et par mon corps, je suis accommodé à autrui. La distance même que le sujet normal met entre soi

1. Wallon, *Les Origines du caractère chez l'enfant*, 1934, pp.135-136.

et autrui, la claire distinction du parler et de l'entendre sont une des modalités du système des sujets incarnés. L'hallucination verbale en est une autre. S'il arrive que le malade croie qu'on lui parle, tandis que c'est lui qui parle en effet, le principe de cette aliénation se trouve dans la situation de tout homme : comme sujet incarné, je suis exposé à autrui, comme d'ailleurs autrui à moi-même, et je m'*identifie* à lui qui parle devant moi. Parler et entendre, action et perception ne sont pour moi des opérations toutes différentes que quand je réfléchis, et que je décompose les mots prononcés en « influx moteurs » ou en « moments d'articulation », — les mots entendus en « sensations et perceptions » auditives. Quand je parle, je ne me *représente* pas des *mouvements* à faire : tout mon appareil corporel se rassemble pour rejoindre et dire le mot comme ma main se mobilise d'elle-même pour prendre ce qu'on me tend. Bien plus : ce n'est pas même le mot à dire que je vise, et pas même la phrase, c'est la personne, je lui parle selon ce qu'elle est, avec une sûreté quelquefois prodigieuse, j'use des mots, des tournures qu'elle peut comprendre, ou auxquelles elle peut être sensible, et, si du moins j'ai du tact, ma parole est à la fois organe d'action et de sensibilité, cette main porte des yeux à son extrémité. Quand j'écoute, il ne faut pas dire que j'ai la *perception auditive* des sons articulés, mais le discours se parle en moi; il m'interpelle et je retentis, il m'enveloppe et m'habite à tel point que je ne sais plus ce qui est de moi, ce qui est de lui. Dans les deux cas, je me projette en autrui, je l'introduis en moi, notre conversation ressemble à la lutte de deux athlètes aux deux bouts de l'unique corde. Le « je » qui parle est installé dans son corps et dans son langage non pas comme dans une prison, mais au contraire comme dans un appareil qui le transporte magiquement dans la perspective d'autrui. « Il y a... dans le langage, une action double, celle que nous faisons nous-mêmes et celle que nous faisons faire au *socius* en le représentant au-dedans de nous-mêmes [1]. » A chaque instant, il me rappelle que, « monstre incomparable » dans le silence, je suis, au contraire, par la parole, mis en présence d'*un autre moi-même* que recrée chaque instant de mon langage et qui me soutient dans l'être aussi. Il n'y a de parole (et finalement de personnalité) que pour un « je » qui porte en lui ce germe de dépersonnalisation *. Parler et comprendre ne supposent pas seulement la pensée, mais, à titre plus essentiel, et

1. Lagache, *Les Hallucinations verbales et la parole*, P.U.F., 1934, p. 139.

* *En marge :* La synthèse d'accouplement ou de transition — le socius n'est pas représenté, mais représenté comme représentant — $\dfrac{\text{Regarder}}{\text{geste}}$, $\dfrac{\text{entendre}}{\text{parler}}$. Comment entendre et parler, d'abord simple modalité de perception et mouvement, les dépasse : par la structure du langage, la création de « signes ». Aux deux niveaux, la reconnaissance du passif par l'actif et de l'actif par le passif, de l'allocutaire par le locuteur est projection et introjection. L'étude faite par moi du tourbillon du langage, d'autrui comme m'attirant à un sens s'applique d'abord au tourbillon d'autrui comme m'attirant à lui. Ce n'est pas seulement que je sois *figé* par autrui, qu'il soit le X par lequel je suis *vu*, *transi*. Il est l'allocutaire i. e. un bourgeonnement de moi au dehors, mon double, mon jumeau, parce que tout ce que je fais, je le lui fais faire et tout ce qu'il fait, il me le fait faire. Le langage est bien fondé, comme le veut Sartre, mais non pas sur une aperception, il est fondé sur le phénomène du miroir ego — alter ego, ou de l'écho, c'est-à-dire sur la généralité charnelle : ce qui me donne chaud lui donne chaud, sur l'action magique du semblable sur le semblable (le soleil *chaud* me *donne chaud*) sur la fusion moi incarné — monde; ce fondement n'empêche pas que le langage se retourne dialectiquement sur ce qui le précède et transforme la coexistence avec le monde et avec les corps comme purement charnelle, vitale, en coexistence langagière.

comme fondement de la pensée même, le pouvoir de
se laisser défaire et refaire par un autre actuel, plusieurs autres possibles et présomptivement par tous.
Et la même transcendance de la parole que nous
avons rencontrée dans son usage littéraire est déjà
présente dans le langage commun sitôt que je ne me
contente pas du langage tout fait, qui est en vérité
une manière de me taire, et que je parle vraiment à
quelqu'un. Le langage, simple déroulement d'images,
l'hallucination verbale, simple exubérance des centres
d'images, dans l'ancienne psychologie, ou bien, chez
ceux qui la combattaient, simple produit d'un pur
pouvoir de penser, est à présent la pulsation de mes
rapports avec moi-même et avec autrui.

Mais enfin la psychologie analyse l'homme parlant, il est après tout naturel qu'elle mette l'accent
sur l'expression de nous-même dans le langage. Cela
ne prouve pas que sa fonction première soit celle-là.
Si je veux communiquer avec autrui, il faut d'abord
que je dispose d'une langue qui nomme des choses
visibles pour lui et pour moi. Cette fonction primordiale est supposée donnée dans les analyses du
psychologue. Si nous considérions le langage non
plus comme moyen des rapports humains, mais en
tant qu'il exprime des choses, non plus dans son
usage vivant, mais, comme le linguiste, dans toute
son histoire et comme une réalité étalée devant nous,
les analyses du psychologue, comme les réflexions
de l'écrivain, pourraient bien nous apparaître comme
superficielles au regard de cette réalité. C'est ici que
la science nous réserve un de ses paradoxes. C'est
elle justement qui nous reconduit plus sûrement au
sujet parlant.

Prenons pour texte la fameuse page où Valéry
exprime si bien ce qu'il y a d'accablant pour l'homme
réfléchissant dans l'histoire du langage. « *Qu'est-ce
que la réalité?* se demande le philosophe; et *qu'est-ce
que la liberté?* Il se met dans l'état d'ignorer l'origine
à la fois métaphorique, sociale, statistique de ces
noms, dont le glissement vers des sens indéfinissables
va lui permettre de faire produire à son esprit les
combinaisons les plus profondes et les plus délicates.
Il ne faut pas pour lui qu'il en finisse avec sa question par la simple histoire d'un vocable à travers les
âges, car le détail des méprises, des emplois figurés,
des locutions singulières grâce au nombre et aux
incohérences desquelles un pauvre mot devient aussi
complexe et mystérieux qu'un être, irrite comme un
être une curiosité presque anxieuse, se dérobe à toute
analyse en termes finis et, créature fortuite de besoins
simples, antique expédient de commerces vulgaires
et des échanges immédiats, s'élève à la très haute
destinée d'exciter toute la puissance interrogeante
et toutes les ressources de réponses d'un esprit mer-
veilleusement attentif [1]. »

Il est bien vrai que la réflexion est d'abord réflexion
sur les mots, mais Valéry croyait que les mots ne
portent rien que la somme des contresens et des
malentendus qui les ont élevés de leur sens propre à
leur sens figuré, et que l'interrogation de l'homme
réfléchissant cesserait s'il s'avisait des hasards qui
ont réuni dans le même mot des significations inconciliables. C'était encore trop donner au rationalisme.
C'était rester à mi-chemin dans la prise de conscience

1. *Variété III,* N.R.F., pp. 176-177.

du hasard. Il y avait, derrière ce nominalisme, une extrême confiance dans le savoir, puisque Valéry croyait du moins possible une histoire des mots capable de décomposer entièrement leur sens et d'éliminer comme faux problèmes les problèmes posés par leur ambiguïté. Or, le paradoxe est que l'histoire de la langue, si elle est faite de trop de hasards pour admettre un développement logique, ne produit rien, cependant, qui ne soit motivé, — que même si chaque mot, selon le dictionnaire, offre une grande diversité de sens, nous allons tout droit à celui qui convient dans la phrase donnée (et si quelque chose subsiste de son ambiguïté, nous en faisons encore un moyen d'expression) et qu'enfin il y a du sens pour nous qui héritons de mots si usés, et exposés par l'histoire aux glissements sémantiques les moins prévisibles. Nous parlons et nous nous comprenons, du moins au premier abord. Si nous étions enfermés dans les significations inconciliables que les mots peuvent tenir de leur histoire, nous n'aurions pas même l'idée de parler, la volonté d'expression s'affaisserait. C'est donc que le langage n'est pas, dans l'instant où il fonctionne, le simple résultat du passé qu'il traîne derrière lui, c'est que cette histoire est la trace visible d'un pouvoir qu'elle n'annule pas. Et comme pourtant nous avons renoncé au fantôme d'un langage pur ou d'un algorithme qui concentrerait en soi le pouvoir expressif et le prêterait seulement aux langages historiques, il nous faut trouver dans l'histoire même, en plein désordre, ce qui rend pourtant possible le phénomène de la communication et du sens.

Ici les acquisitions des sciences du langage sont

décisives. Valéry s'en tenait à l'alternative du philosophe qui croit rejoindre par réflexion des significations pures et trébuche dans les malentendus accumulés par l'histoire des mots. La psychologie et la linguistique sont en train de montrer par le fait qu'on peut renoncer à la philosophie éternitaire sans tomber à l'irrationalisme. Saussure montre admirablement que si les mots et plus généralement la langue, considérés à travers le temps, — ou, comme il dit, selon la diachronie —, offrent en effet l'exemple de tous les glissements sémantiques, ce n'est pas l'histoire du mot ou de la langue qui fait leur sens actuel, et, par exemple, ce n'est pas l'étymologie qui me dira ce que signifie à présent la *pensée*. La plupart des sujets parlants ignorent l'étymologie — ou plutôt, dans sa forme populaire, elle est imaginaire, elle projette en une histoire fictive le sens actuel des mots, elle ne l'explique pas, elle le suppose. Quels que soient les hasards et les confusions à travers lesquels le français a cheminé, et dont on peut, et dont il faut reconstituer le déroulement titubant, encore est-il que nous parlons et dialoguons, ce chaos est repris dans notre volonté de nous exprimer et de comprendre ceux qui sont avec nous membres de notre communauté linguistique. Dans le présent, ou synchroniquement, l'usage actuel ne se réduit pas aux fatalités léguées par le passé, et Saussure inaugure à côté de la linguistique de la *langue* qui la ferait apparaître, à la limite, comme un chaos d'événements une linguistique de la *parole* qui doit montrer en elle, à chaque moment, un ordre, un système, une totalité sans lesquels la communication et la communauté linguistique seraient impos-

sibles. Les successeurs de Saussure se demandent
même si l'on peut simplement juxtaposer la vue
synchronique et la vue diachronique — et, comme
après tout chacune des phases que l'étude longi-
tudinale décrit a été un moment vivant de la parole,
tendu vers la communication, chaque passé un présent tourné vers l'avenir, si les exigences expressives
d'un instant synchronique et l'ordre qu'elles imposent
ne pourraient pas se déployer sur un laps de temps,
définir, au moins pour une phase de la diachronie,
un certain sens des transformations probables, une
loi d'équilibre au moins provisoire, jusqu'à ce que
cet équilibre une fois atteint pose à son tour de
nouveaux problèmes qui feront basculer la langue
vers un nouveau cycle de développement *... En
tout cas, Saussure a l'immense mérite d'accomplir
la démarche qui libère l'histoire de l'historicisme
et rend possible une nouvelle conception de la raison.
Si chaque mot, chaque forme d'une langue, pris
séparément, reçoivent au cours de son histoire une
série de significations discordantes, il n'y a pas
d'équivoque dans la langue totale considérée en
chacun de ses moments. Les mutations de chaque
appareil signifiant, si inattendues qu'elles paraissent
à le considérer tout seul, sont solidaires de celles de
tous les autres et cela fait que l'ensemble reste moyen
d'une communication. L'histoire *objective* était,
— toute histoire reste pour Saussure —, une analyse
qui décompose le langage et en général les institutions

---

* *En marge :* Il ne faut pas que le point de vue synchronique soit
instantané. Enjambement de chaque partie de la parole sur le tout,
il faut qu'il soit aussi enjambement d'un temps sur un autre, et éternité
existentielle.

et les sociétés en un nombre infini de hasards. Mais elle ne peut pas être notre seule approche vers le langage. Alors le langage deviendrait une prison, conditionnerait cela même qu'on peut en dire et, toujours supposé dans ce qu'on dit de lui, il ne serait capable d'aucun éclaircissement. La science même du langage, enveloppée dans son état présent, ne saurait obtenir une vérité du langage et l'histoire objective se détruirait elle-même *. Avec Saussure, cet enveloppement du langage par le langage est justement ce qui sauve la rationalité, parce qu'il n'est plus comparable au mouvement objectif de l'observateur, qui compromet son observation des autres mouvements, il atteste au contraire entre moi qui parle et le langage dont je parle une affinité permanente. Il y a un « je parle » qui termine le doute à l'égard du langage comme le « je pense » terminait le doute universel. Tout ce que je dis du langage le suppose, mais cela n'invalide pas ce que je dis, cela révèle seulement que le langage se touche et se comprend lui-même, cela montre seulement qu'il n'est pas objet, qu'il est susceptible d'une reprise, qu'il est accessible de l'intérieur. Et si nous considérions au présent les langues du passé, si nous réussissions à ressaisir le système de paroles qu'elles ont été en chacun des moments de leur histoire, alors, derrière les circonstances incontestables qui les ont modifiées, — l'usure des formes, la décadence phonétique, la contagion des autres parlers, les invasions, les usages de la Cour, les

---

* *En marge :* Saussure montre la nécessité qu'il y ait un intérieur du langage, une pensée distincte du matériel linguistique, — et cependant liée à lui, non « logique ».

décisions de l'Académie, — nous retrouverions les motivations cohérentes selon lesquelles ces hasards ont été incorporés à un système d'expression suffisant. L'histoire du langage conduit au scepticisme tant qu'elle est histoire objective, car elle fait apparaître chacun de ses moments comme un événement pur et s'enferme elle-même dans le moment où elle s'écrit. Mais ce présent se révèle soudain présence à un système d'expression, et du coup tous les autres présents aussi. Alors, dans l'envers des événements, se dessine la série de systèmes qui ont toujours cherché l'expression. La subjectivité inaliénable de ma parole me rend capable de comprendre ces subjectivités éteintes dont l'histoire objective ne me donnait que les traces. Puisque je parle et puis apprendre dans l'échange avec d'autres sujets parlants ce que c'est que le sens d'un langage, alors l'histoire même du langage n'est pas seulement une série d'événements extérieurs l'un à l'autre et extérieurs à nous. L'objectivité pure conduisait au doute. La conscience radicale de la subjectivité me fait redécouvrir d'autres subjectivités, et par là une vérité du passé linguistique. Les hasards ont été repris intérieurement par une intention de communiquer qui les change en système d'expression, ils le sont encore aujourd'hui dans l'effort que je fais pour comprendre le passé de la langue. L'histoire extérieure se double d'une histoire intérieure qui, de synchronie en synchronie, donne un sens commun au moins à certains cycles de développement. Le recours à la parole, à la langue vécue, ce subjectivisme méthodique annule l' « absurdisme » de Valéry, conclusion inévitable du savoir tant qu'on ne considérait la subjectivité que comme un résidu, comme un confluent de hasards, c'est-à-dire de l'extérieur. La solution des doutes touchant le langage ne se trouve pas dans un recours à quelque langue universelle qui surplomberait l'histoire, mais dans ce que Husserl appellera le « présent vivant », dans une parole, variante de toutes les paroles qui se sont dites avant moi, aussi modèle pour moi de ce qu'elles ont été...

Reste à comprendre ce sens synchronique du langage. Cela exige un renversement de nos habitudes. Justement parce que nous parlons, nous sommes portés à penser que nos formes d'expression conviennent aux choses mêmes, et nous cherchons dans les parlers étrangers l'équivalent de ce qui est si bien exprimé par le nôtre. Même le rigoureux Husserl, posant, au début de sa carrière, les principes d'une «grammaire pure », demandait qu'on dressât la liste des formes fondamentales du langage, après quoi l'on pourrait déterminer « comment l'allemand, le latin, le chinois, expriment " la " proposition d'existence, " la " proposition catégorique, " la" prémisse hypothétique, " le " pluriel, " les " modalités du possible, du vraisemblable, " le " non, etc. » « On ne peut pas, ajoutait-il, se désintéresser de la question de savoir si le grammairien se contentera de ses vues personnelles et préscientifiques sur les formes de signification, ou des représentations empiriques et confuses que telle grammaire historique lui fournit, par exemple la grammaire latine — ou s'il a sous les yeux le pur système des formes dans une formulation scientifiquement déterminée et théoriquement cohérente —, c'est-à-dire celle de notre théorie des formes

de signification [1]. » Husserl n'oubliait qu'une chose,
c'est qu'il ne suffit pas, pour atteindre à la grammaire
universelle, de sortir de la grammaire latine, et que
la liste qu'il donne des formes de signification possibles porte la marque du langage qu'il parlait.
Il nous semble toujours que les procédés d'expérience codifiés dans notre langue suivent les articulations même de l'être, parce que c'est à travers elle
que nous apprenons à le viser, et, voulant penser le
langage, c'est-à-dire le réduire à la condition d'une
chose devant la pensée, nous risquons toujours de
prendre pour une intuition de l'être du langage les
procédés par lesquels notre langage essaie de déterminer l'être. Mais que dire quand la science du langage — qui n'est en vérité qu'une expérience de la
parole plus variée, et étendue au parler des autres
— nous apprend non seulement qu'ils n'admettent
pas les catégories de notre langue, mais encore qu'elles
sont une expression rétrospective et inessentielle de
notre propre pouvoir de parler? Non seulement il
n'y a pas d'analyse grammaticale qui découvre des
éléments communs à toutes les langues et chaque
langue ne contient pas nécessairement l'équivalent
des modes d'expression qui se trouvent dans les
autres — c'est l'intonation en peul qui signifie la
négation, le *duel* du grec ancien est confondu en
français avec le pluriel, l'aspect russe n'a pas d'équivalent en français et, en hébreu, la forme qu'on

1. *Logische Untersuchungen II*, 4. Untersuchung, Max Niemeyer
Verlag, 1913, p. 339. Trad. fr. *Recherches logiques*, P.U.F., 1959, t. II,
pp. 135-136. Husserl devait dans la suite reprendre sans cesse le problème
des rapports de la raison et de l'histoire, pour aboutir, dans ses dernières
formulations, à une philosophie qui les identifie. *(La note inachevée
mentionne seulement l'Origine de la Géométrie.)*

appelle futur sert à marquer le passé dans les narrations tandis que la forme nommée prétérit peut servir de futur, l'indo-européen n'avait pas de passif, pas d'infinitif, le grec moderne ou le bulgare ont perdu leur infinitif [1] —, mais encore on ne peut pas même réduire en système les procédés d'expression d'*une* langue et, confrontées avec l'usage vivant, les significations lexicales ou grammaticales ne sont jamais que des à-peu-près. Impossible de marquer en français où finissent les sémantèmes ou les mots, où commencent les simples morphèmes : le *quidi* de la langue parlée (j'ai faim, qu'il dit) a commencé par être fait de mots : ce n'est plus, dans l'usage, qu'un morphème. Le pronom et l'auxiliaire d' « *il a* fait » ont commencé par être des sémantèmes : ils n'ont plus à présent d'autre valeur que l'augment, le sigma et la désinence de l'aoriste grec. Je, tu, il, me, te, le, ont commencé par être des mots et le sont encore dans quelques cas où ils sont employés isolément (Je *le* dis), mais chaque fois qu'ils apparaissent soudés à leur verbe, comme dans « je dis, tu dis, il dit » (prononcés jedi, tudi, idi), ils ne sont rien de plus que l'*o* final du latin *dico*, peuvent être traités comme une sorte de flexion du verbe par l'avant, et n'ont plus la dignité de sémantèmes. Le genre des mots en français n'a guère d'existence que par l'article qui le soutient : dans les mots qui commencent par une voyelle et où l'élision masque le genre de l'article, le genre du mot lui-même devient flottant et peut même changer. L'actif et le passif ne sont pas dans la langue parlée ces entités que définissent les

1. Vendryès, *Le Langage,* la Renaissance du Livre, 1921, pp. 106-134.

grammairiens, et le second n'est presque jamais l'inverse du premier : on le voit envahir la conjugaison
active et y enclaver un passé avec le verbe être qui
se laisse difficilement ramener au sens canonique du
passif. Les catégories du nom, du verbe et de l'ad-
jectif elles-mêmes empiètent l'une sur l'autre. « Un
système morphologique ne comprend jamais qu'un
nombre restreint de catégories qui s'imposent et qui
dominent. Mais dans chaque système il y a toujours
d'autres systèmes qui s'introduisent et qui se croisent,
représentant, à côté des catégories grammaticales
pleinement épanouies, d'autres catégories en voie de
disparaître ou au contraire en train de se former [1]. »
Or, ces faits d'usage peuvent être compris de deux
façons : ou bien l'on continuera de penser qu'il ne
s'agit là que de contaminations, de désordres, de
hasards inséparables de l'existence dans le monde,
et l'on gardera contre toute raison la conception
classique de l'expression, selon laquelle la clarté du
langage vient du pur rapport de dénotation qu'on
pourrait en principe établir entre des signes [?] et
des significations limpides. Mais alors, on laissera
peut-être échapper ce qui fait l'essentiel de l'expression. Car enfin, sans avoir fait l'analyse idéale de
notre langage, et en dépit des difficultés qu'elle rencontre, nous nous comprenons dans le langage exis-
tant. Ce n'est donc pas elle, au cœur de l'esprit, qui
fonde et rend possible la communication. A chaque
moment, sous le système de la grammaire officielle,
qui attribue à tel signe telle signification, on voit
transparaître un autre système expressif qui porte

1. *Ibid.*, p. 131. (*Texte exact de la seconde phrase :* Mais dans chaque
système il y a toujours plus ou moins d'autres systèmes...)

le premier et procède autrement que lui : l'*expression*, ici, n'est pas ordonnée point par point, à l'exprimé; chacun de ses éléments ne se précise et ne reçoit l'existence linguistique que par ce qu'il reçoit des autres et par la modulation qu'il imprime à tous les autres. C'est le tout qui a un sens, non chaque partie. La particule ἄν du grec classique n'est pas seulement intraduisible en français, elle est indéfinissable en grec même. Il s'agit avec tous les morphèmes (et nous avons vu que la limite du sémantème et du morphème est indécise), non pas de mots, mais de « coefficients », d' « exposants [1] » ou encore « d'outils linguistiques » qui ont moins une signification qu'une *valeur d'emploi*. Chacun d'eux n'a pas de pouvoir signifiant que l'on puisse isoler, et pourtant, réunis dans la parole, ou, comme on dit, dans la chaîne verbale, ils composent ensemble un sens irrécusable. La clarté du langage n'est pas derrière lui, dans une grammaire universelle que nous porterions par-devers nous, elle est devant lui, dans ce que les gestes infinitésimaux de chaque patte de mouche sur le papier, de chaque inflexion vocale, montrent à l'horizon comme leur sens. Pour la parole ainsi comprise, l'idée même d'une *expression accomplie* est chimérique : ce que nous appelons ainsi, c'est la communication réussie. Mais elle ne l'est jamais que si celui qui écoute, au lieu de suivre maillon par maillon la chaîne verbale, reprend à son compte et dépasse en l'accomplissant la gesticulation linguistique de l'autre *.

Il nous semble qu'en français, « l'homme que j'aime » exprime plus complètement que l'anglais

---

1. *Ibid.*, p. 99.
* *En marge :* La « clarté » du langage est d'ordre perceptif.

« the man I love ». Mais, remarque profondément
Saussure, c'est parce que nous parlons français. Il
nous semble tout naturel de dire : « Pierre frappe
Paul », et que l'action de l'un sur l'autre est expli-
citée ou exprimée par le verbe transitif. Mais c'est
encore parce que nous parlons français. Cette construction n'est de soi pas plus expressive qu'une
autre; on pourrait même dire qu'elle l'est moins, le
seul morphème qui indique le rapport de Pierre et
de Paul étant ici, comme dit Vendryès, un morphème zéro [1]. « The man I love » n'est pas moins
éloquent pour un Anglais. « Par le seul fait que l'on
comprend un complexus linguistique (...), cette suite
de termes est l'expression adéquate de la pensée [2]. »
Il faut donc nous défaire de l'habitude où nous
sommes de « sous-entendre » le relatif en anglais :
c'est parler français en anglais, ce n'est pas parler
anglais. Rien n'est sous-entendu dans la phrase
anglaise, du moment qu'elle est comprise, — ou plutôt, *il n'y a que des sous-entendus dans une langue
quelle qu'elle soit, l'idée même d'une expression adéquate, celle d'un signifiant qui viendrait couvrir exactement le signifié*, celle enfin d'une communication
intégrale sont inconsistantes [*]. Ce n'est pas en dépo-
sant *toute* ma pensée dans des *mots* où les autres
viendraient l'y puiser que je communique avec eux,
c'est en composant, avec ma gorge, ma voix, mon

1. *Ibid.*, p. 93.
2. F. de Saussure, *Cours de linguistique générale*, Payot, p. 197.
[*] *En marge* : Communication de l'ordre du pré-objectif. La signification report quasi sensoriel : c'est un relief dans l'univers langagier.
De là le mot qui est injure, la « bouchée intelligible ». Il faut comprendre
chaque phrase dite non pas comme un « perçu », mais comme un geste
qui va toucher un ensemble culturel. (De là relative indifférence des
signes un à un : ils ne sont que diacritiques.)

intonation, et aussi bien sûr les mots, les constructions que je préfère, le temps que je choisis de donner à chaque partie de la phrase, une énigme telle qu'elle ne comporte qu'une seule solution, et que l'autre, accompagnant en silence cette mélodie hérissée de changements de clés, de pointes et de chutes, en vienne à la prendre à son compte et à la dire avec moi, ce qui est comprendre. Vendryès remarque avec profondeur : « Pour faire sentir au lecteur le contraire d'une impression donnée, il ne suffit pas d'accoler une négation aux mots qui la traduisent. Car on ne supprime pas ainsi l'impression qu'on veut éviter : on évoque l'image en croyant la bannir... Le morphème grammatical ne se confond pas avec ce qu'on pourrait appeler le morphème « d'expression [1] ». Il y a des dénégations qui avouent. Le sens est par-delà la lettre, le sens est toujours ironique. Dans les cas où il nous semble que l'exprimé est atteint lui-même, directement ou prosaïquement, et qu'il y a grammaire plutôt que style, c'est seulement que le geste est habituel, que la reprise par nous est immédiate, et qu'elle n'exige de nous aucun remaniement de nos opérations ordinaires. Les cas où, au contraire, il nous faut trouver dans la phrase du moment la règle des équivalences et des substitutions qu'elle admet, dans le langage sa propre clé, et dans la chaîne verbale son sens, sont ceux par lesquels nous pouvons comprendre les faits plus ordinaires du langage.

Il y a donc une première réflexion, par laquelle je dégage la signification des signes, mais elle appelle

1. Vendryès, *op. cit.*, pp. 159-160.

une seconde réflexion qui me fait retrouver en deçà de cette distinction le fonctionnement effectif de la parole.

Cela même que j'appelle signification ne m'apparaît comme pensée sans aucun mélange de langage que par la vertu du langage qui me porte vers l'exprimé; et ce que j'appelle signe et réduis à la condition d'une enveloppe inanimée, ou d'une manifestation extérieure de la pensée, se rapproche autant qu'on voudra de la signification sitôt que je le considère en train de fonctionner dans le langage vivant. « La visée *(die Meinung)* ne se trouve pas hors des mots, à côté d'eux; mais par la parole *(redend)* j'accomplis constamment un acte de visée interne, qui se fond avec les mots et pour ainsi dire les anime. Le résultat de cette animation est que les mots et toutes les paroles incarnent pour ainsi dire la visée en eux-mêmes et la portent, incarnée en eux, comme sens [1] ». Avant que le langage porte les significations qui nous masquent son opération autant qu'elles la révèlent, et qui une fois nées paraîtront simplement coordonnées à des signes inertes, il faut qu'il sécrète par son arrangement interne un certain sens originaire sur lequel les significations seront prélevées; il faut qu'il y ait une étude qui se place au-dessous du langage constitué et considère les modulations de la parole, la chaîne verbale comme

---

1. Husserl, *Formale und transzendentale Logik*, Niemeyer Verlag, Halle (Saale), 1929, p. 20. *Le texte de Husserl est le suivant :* « Diese (die Meinung) aber liegt nicht äusserlich neben den Worten; sondern redend vollziehen wir fortlaufend ein inneres, sich mit Worten verschmelzendes, sie gleichsam beseelendes Meinen. Der Erfolg dieser Beseelung ist, dass die Worte und die ganzen Reden in sich eine Meinung gleichsam verleiblichen und verleiblicht in sich als Sinn tragen. »

expressives par elles-mêmes [1], et mette en évidence, en deçà de toute nomenclature établie, la « valeur linguistique » immanente aux actes de parole. On approche de cette couche primordiale du langage en définissant avec Saussure les signes, non pas comme les représentants de certaines significations, mais comme des moyens de différenciation de la chaîne verbale et de la parole, comme des « entités oppositives, relatives et négatives [2] ». Une langue est moins une somme de signes, (mots et formes grammaticales et syntaxiques) qu'un moyen méthodique de discriminer des signes les uns des autres, et de construire ainsi un univers de langage, dont nous disons par après — quand il est assez précis pour cristalliser une intention significative et la faire renaître en autrui —, qu'il exprime un univers de pensée, alors qu'il lui donne l'existence dans le monde et arrache seul au « caractère transitif de phénomènes intérieurs un peu d'action renouvelable et d'existence indépendante [3] ». « Dans la langue, il n'y a que des différences sans termes positifs. Qu'on prenne le signifié ou le signifiant, la langue ne comporte ni des idées ni des sons qui préexisteraient au système linguistique, mais seulement des différences conceptuelles et des différences phoniques issues de ce système [4]. » Le français, ce n'est pas le mot de soleil, plus le mot d'ombre, plus le mot de terre, plus un nombre indéfini d'autres mots et de formes, chacun doué de son sens propre, — c'est la configuration que des-

1. Cette étude c'est la phonologie.
2. Saussure, *op. cit.*, p. 171.
3. Valéry.
4. Saussure, *op. cit.*, p. 172.

sinent tous ces mots et toutes ces formes selon leurs
règles d'emploi langagier, et qui apparaîtrait d'une
manière éclatante si nous ne savions pas encore ce
qu'ils veulent dire, et si nous nous bornions, comme
l'enfant, à repérer leur va-et-vient, leur récurrence,
la manière dont ils se fréquentent, s'appellent ou se
repoussent, et constituent ensemble une mélodie d'un
style défini. On a souvent remarqué qu'il est impossible, à un moment donné, de faire l'inventaire d'un
vocabulaire — que ce soit celui d'un enfant, d'un
individu ou d'une langue. Faudra-t-il compter comme
mots distincts ceux qui se forment par un procédé
mécanique à partir d'un même mot origine? Faudra-
t-il compter ce mot qui est encore compris, mais qui
n'est guère employé, et qui est en marge de l'usage?
Comme le champ visuel, le champ linguistique d'un
individu se termine dans le vague. C'est que parler
n'est pas avoir à sa disposition un certain nombre
de signes, mais posséder la langue comme principe
de distinction, quel que soit le nombre de signes
qu'il nous permet de spécifier. Il y a des langues où
l'on ne peut pas dire : « s'asseoir au soleil [1] », parce
qu'elles disposent de mots particuliers pour désigner
le rayonnement de la lumière solaire, et réservent le
mot « soleil » pour l'astre lui-même. C'est dire que la
valeur linguistique de ce mot n'est définie que par
la présence ou l'absence d'autres mots à côté de lui.
Et comme on peut dire la même chose de ceux-ci,
il apparaît que *le langage ne dit jamais rien, il invente
une gamme de gestes qui présentent entre eux des différences assez claires pour que la conduite du langage,*

1. *Ibid.*, p. 167.

à mesure qu'elle se répète, se recoupe et se confirme elle-même, nous fournisse de manière irrécusable, l'allure et les contours d'un univers de sens. Bien plus, les mots, les formes mêmes, pour une analyse orientée comme celle-là, apparaissent bientôt comme des réalités secondes, résultats d'une activité de différenciation plus originaire. Les syllabes, les lettres, les tournures et les désinences sont les sédiments d'une première différenciation qui, cette fois, précède sans aucun doute le rapport de signe à signification, puisque c'est elle qui rend possible la distinction même des signes : les phonèmes, vrais fondements de la parole, puisqu'ils se trouvent par l'analyse de la langue parlée et n'ont pas d'existence officielle dans les grammaires et les dictionnaires, ne *veulent* par eux-mêmes *rien dire* qu'on puisse désigner. Mais, justement pour cette raison, ils représentent la forme originaire du signifier, ils nous font assister, au-dessous du langage constitué, à l'opération préalable qui rend simultanément possibles les significations et les signes discrets. Comme la langue elle-même, ils constituent un système, c'est-à-dire qu'ils sont moins un nombre fini d'ustensiles qu'une manière typique de moduler, une puissance inépuisable de différencier un geste linguistique d'un autre, et finalement, à mesure que les différences sont plus précises, plus systématiques, apparaissent dans des situations elles-mêmes mieux articulées et suggèrent toujours davantage que tout ceci obéit à un ordre interne, puissance de montrer à l'enfant ce qui était visé par l'adulte.

Peut-être verra-t-on mieux comment le langage signifie, à le considérer au moment où il invente un

moyen d'expression. On sait qu'en français l'accent
est toujours sur la dernière syllabe sauf dans les
mots qui finissent par un *e* muet et qu'en latin,
l'accent est sur l'avant-dernière syllabe quand elle
est longue *(amícus)*, sur la précédente si l'avant-
dernière est brève *(ánĭma)*. Le système de flexions
du latin ne pouvait évidemment subsister que si
les finales demeuraient perceptibles. Or, justement
parce qu'elles n'étaient pas accentuées, elles se sont
affaiblies. La langue a d'abord essayé de les *réparer*,
en greffant sur les mots français des restes de flexions
latines demeurées plus vivantes : de là les désinences
en « ons » et en « ez » des deux premières personnes
du pluriel; de là certains participes passés en « u » déri-
vés des terminaisons latines en *utus*, assez rares
(lu, vu, tenu, rompu [1]). Cela n'a pas suffi et la décadence a continué ailleurs. Un moment vient où ce
qui était ruine devient maquette, où la disparition
des finales du latin, fait de décadence, est perçue
par les sujets parlants comme expression d'un principe nouveau. Il y a un moment où l'accent latin,
demeurant sur la syllabe où il avait toujours été,
change cependant de place par la disparition des
suivantes. « La place de l'accent s'est trouvée chan-
gée sans qu'on y ait touché [2]. » L'accent sur la dernière syllabe est alors retenu comme *règle* puisqu'il
envahit jusqu'aux mots d'emprunt, qui ne devaient
rien au latin, ou jusqu'à ceux qui ne venaient de lui
que par l'écriture (facile, consul, ticket, burgrave [3]).
Avec cette sorte de décision de la langue, devenait

---

1. Vendryès, *op. cit.*, p. 195.
2. Saussure, *op. cit.*, p. 126.
3. *Ibid.*, p. 127.

nécessaire un système qui ne fût plus fondé sur la flexion mais sur l'emploi généralisé de la préposition et de l'article. La langue alors se saisit de mots qui avaient été pleins et les vide pour en faire des prépositions (ainsi chez, *casa*, pendant, vu, excepté, malgré, sauf, plein [1]). Comment comprendre ce moment fécond de la langue, qui transforme un hasard en raison et, d'une manière de parler qui s'effaçait, en fait soudain une nouvelle, plus efficace, plus expressive, comme le reflux même de la mer après une vague excite et fait grandir la vague suivante? L'événement est trop hésitant pour qu'on imagine quelque esprit de la langue ou quelque décret des sujets parlants qui en soit responsable. Mais aussi il est trop systématique, il suppose trop de connivence entre différents faits de détail pour qu'on le réduise à la somme des changements partiels. L'événement a un intérieur, quoique ce ne soit pas l'intériorité du concept. « Jamais le système n'est modifié directement; en lui-même, il est immuable, seuls certains éléments sont altérés sans égard à la solidarité qui les lie au tout. C'est comme si une des planètes qui gravitent autour du soleil changeait de dimension et de poids : ce fait isolé entraînerait des conséquences générales et déplacerait l'équilibre du système solaire tout entier [2]. » Ajoutons seulement que le nouvel équilibre du système solaire ne serait que le résultat des actions exercées et subies par chacune de ses parties et qu'il pourrait être moins riche de conséquences, moins productif et pour ainsi dire de moindre qualité que celui auquel il succéde-

1. Vendryès, pp. 195-196.
2. Saussure, p. 125.

rait. Au contraire les modes d'expression du français
qui viennent relayer ceux du latin ont pour effet de
rétablir un pouvoir d'expression menacé. Ce qui
soutient l'invention d'un nouveau système d'expression, c'est donc la poussée des sujets parlants qui
veulent se comprendre et qui reprennent comme une
nouvelle manière de parler les débris usés d'un autre
mode d'expression. La langue est toute hasard et
toute raison parce qu'il n'est pas de système expressif
qui suive un plan et qui n'ait son origine dans quelque
donnée accidentelle, mais aussi pas d'accident qui
devienne instrument linguistique sans que le langage ait insufflé en lui la valeur d'une nouvelle
manière de parler, en le traitant comme exemple
d'une « règle » future qui s'appliquera à tout un
secteur de signes. Et il ne faut pas même placer en
deux [?] distincts le fortuit et le rationnel, comme
si les hommes apportaient l'ordre et les événements
le désordre. La volonté d'expression elle-même est
ambiguë et renferme un ferment qui travaille à la
modifier : chaque langue, dit par exemple Vendryès [1],
est soumise à chaque moment aux besoins jumeaux
et contraires de l'expressivité et de l'uniformité.
Pour qu'une manière de parler soit comprise, il faut
qu'elle aille de soi, il faut qu'elle soit généralement
admise ; ce qui suppose enfin qu'elle ait son analogue
dans d'autres tournures formées sur le même patron.
Mais il faut en même temps qu'elle ne soit pas habi-
tuelle au point de devenir indistincte, il faut qu'elle
frappe encore celui qui l'entend employer, et tout
son pouvoir d'expression vient de ce qu'elle *n'est*

1. Vendryès, p. 192.

pas identique à ses concurrentes. S'exprimer, c'est
donc une entreprise paradoxale, puisqu'elle suppose un fond d'expressions apparentées, déjà établies, incontestées, et que sur ce fond la forme
employée se détache, demeure assez neuve pour
réveiller l'attention. C'est une opération qui tend
à sa propre destruction puisqu'elle se supprime à
mesure qu'elle s'accrédite, et s'annule si elle ne
s'accrédite pas. C'est ainsi qu'on ne saurait concevoir
d'expression qui soit définitive puisque les vertus
mêmes qui la rendent générale la rendent du même
coup insuffisante. Aussitôt que la parole s'en saisit,
aussitôt qu'elle devient *vivante*, la langue artifi-
cielle la mieux raisonnée devient irrégulière et se
remplit d'exceptions [1]. Les langues ne sont si sensibles aux interventions de l'histoire générale et à
leur propre usure que parce qu'elles sont secrètement affamées de changements qui leur donnent le
moyen de se rendre expressives à nouveau [*]. Il y a
donc, certes, un intérieur du langage, une intention
de signifier qui anime les accidents linguistiques, et
fait de la langue, à chaque moment, un système
capable de se recouper et de se confirmer lui-même.
Mais cette intention s'assoupit à mesure qu'elle
s'accomplit; pour que son vœu se réalise, il faut qu'il
ne se réalise pas tout à fait, et pour que quelque

---

1. Vendryès, p. 193.
[*] *En marge :* Point essentiel : ne pas faire la synchronie instantanée,
car cela ferait reposer la « totalité » de la parole sur les pouvoirs absolument transcendants de la « conscience ». Il faut qu'il y ait un fond non-
thétique de la langue dans son état immédiatement antérieur, que hasard
et raison s'unissent, que chaque présent soit différenciation par rapport au
précédent. Pas trace du passé lointain dans le présent, c'est trop dire : il
y a sinon conscience de ce passé, du moins conscience d'un passé en
général, d'une typique historique.

chose soit dite, il faut qu'elle ne soit jamais dite
absolument. Le pouvoir expressif d'un signe tient à
ce qu'il fait partie d'un système et coexiste avec
d'autres signes et non pas à ce qu'il aurait été institué
de Dieu ou de la Nature pour désigner une signification. Et de plus, même ce sens langagier ou cette
valeur d'usage, cette loi efficace du système qui
fondent la signification, ne sont pas d'abord saisis
par des sujets pensants, ils sont pratiqués par des
sujets parlants, et ne sont présents dans les accidents
historiques qui la leur ont suggérée et en deviendront
pour les grammairiens des *exemples*, que comme le
caractère d'un homme est présent dans ses gestes
et dans son écriture avant toute psychologie, ou
comme la définition géométrique du cercle est présente dans ma vision de sa physionomie circulaire.
La signification des signes, c'est d'abord leur configuration dans l'usage, le style des relations inter-
humaines qui en émane; et seule la logique aveugle
et involontaire des choses perçues, toute suspendue
à l'activité de notre corps, peut nous faire entrevoir
l'esprit anonyme qui invente, au cœur de la langue,
un nouveau mode d'expression. Les choses perçues
ne seraient pas pour nous irrécusables, présentes en
chair et en os, si elles n'étaient inépuisables, jamais
entièrement données, elles n'auraient pas l'air d'éternité que nous leur trouvons si elles ne s'offraient à
une inspection qu'aucun temps ne peut terminer.
De même, l'expression n'est jamais absolument
expression, l'exprimé n'est jamais tout à fait
exprimé, il est essentiel au langage que la logique de
sa construction ne soit jamais de celles qui peuvent
se mettre en concepts, et à la vérité de n'être jamais

possédée, mais seulement transparente à travers la
logique brouillée d'un système d'expression qui
porte les traces d'un autre passé et les germes d'un
autre avenir *.

Comprenons bien que cela n'invalide pas le fait
de l'expression et ne prouve rien contre la vérité
de l'exprimé. En invoquant les sciences du langage,
nous ne nous enfermons pas dans une psychologie
ou une histoire de l'expression, qui n'en saisiraient
que les manifestations actuelles, et seraient aveugles
pour le pouvoir qui les rend possibles, enfin pour
une philosophie vraie, qui engendre et constitue
le langage comme *un des objets* de la pensée **.

* *En marge :* Tout ceci ne fait que mieux mettre en évidence la
transcendance de la signification par rapport au langage. Comme l'analyse
de la perception met en évidence la transcendance de la *chose* par rapport
aux contenus et *Abschattungen*. La chose surgit là-bas pendant que je
crois la saisir dans telle variation de la *hylè* où elle n'est qu'en filigrane.
Et de même la pensée surgit là-bas pendant que je la cherche dans
telle inflexion de la chaîne verbale. Mais le pouvoir de transcendance
de la parole et de la perception résulte précisément de leur propre organisation. Le passage à la *Bedeutung* n'est pas un saut dans le « spirituel ».

** *En marge et entre crochets :* Contre Vendryès : pas de limites de
la langue, pas de structure de la langue (puisque le système y est
toujours mélangé à d'autres systèmes), pas de comparaison entre elles,
elles expriment toutes aussi bien (refus de valeurs chez Vendryès — peut-
être Saussure). Ces limites et ces valeurs existent, simplement elles sont
de l'ordre du perceptif : il y a une *Gestalt* de la langue, il y a dans le
présent vivant de l'exprimé et du non exprimé, il y a travail à faire.
Enfin il faut bien que le langage signifie quelque chose et ne soit pas
toujours langage sur le langage. Mais la signification et le signe sont
de l'ordre perceptif, non de l'ordre de l'Esprit absolu. Oui il y a une
question de savoir comment les premiers signes sont devenus capables
de sédimentation et de tout un [?] de culture, et il y a une question
de savoir comment penser la consommation présomptive du langage
dans le non-langage, dans la pensée. Mais ces deux faits ne sont pas
autre chose que le fait même de la perception et de la rationalité; du
logos du monde esthétique. Demander une explication, c'est [?] d'*obscurum
per obscurius*.

A cette note s'en trouve, dans les dernières lignes, superposée une autre :
la sédimentation : le fait de *Stiftung* d'un sens qui sera *nachvollsichtbar*.
L'expressivité est temporaire. Mais on pourra revenir au présent dans

Les progrès de la psychologie et de la linguistique tiennent justement à ceci qu'en révélant le *sujet parlant* et la parole au présent, elles trouvent le moyen d'ignorer les alternatives de l'actuel et du possible, du constitué et du constituant, des faits et des conditions de possibilité, du hasard et de la raison, de la science et de la philosophie. Oui, quand je parle actuellement, je dis bien *quelque chose* et c'est à bon droit que je prétends sortir des choses dites et atteindre aux choses mêmes. C'est à bon droit aussi que, par-delà tous les demi-silences ou tous les sous-entendus de la parole, je prétends m'être fait entendre et mets une différence entre ce qui a été dit et ce qui ne l'a jamais été. Enfin c'est à bon droit que je travaille à m'exprimer même s'il est de la nature des moyens d'expression d'être transitoires : à présent au moins, j'ai dit quelque chose, et le quasi-silence de Mallarmé est encore quelque chose qui a été exprimé. Ce qu'il y a toujours de brouillé dans chaque langage, et qui l'empêche d'être le reflet de quelque langue universelle — où le signe recouvrirait exactement le concept — ne l'empêche pas, dans l'exercice vivant de la parole, de remplir son rôle de révélation, ni de comporter ses évidences typiques, ses expériences de communication. Que le langage ait une signification métaphysique, c'est-à-dire qu'il atteste d'autres rapports et d'autres propriétés que ceux qui appartiennent, selon l'opinion commune, à la multiplicité des choses de la nature enchaînées par une causalité,

---

le passé. Il y a reprise d'un autre passé par mon présent. Chaque acte de parole reprend tous les autres justement s'il n'y a pas de limites absolues entre les langues. Sédimentation et réactivation.

l'expérience du langage vivant nous en convainc
suffisamment, puisqu'elle caractérise comme système
et ordre compréhensible cette même parole qui, vue
du dehors, est un concours d'événements fortuits.
A cet égard, il se peut que les linguistes n'aient
pas toujours aperçu à quel point leur propre découverte nous éloignait du positivisme. Justement si
les catégories grammaticales des sons, des formes
et des mots s'avèrent abstraites parce que chaque
sorte de signes, dans la langue au présent, ne fonctionne qu'appuyée sur toutes les autres, — justement si rien ne permet de tracer entre les dialectes et
les langues ou entre les langues successives et simultanées des frontières précises, et si chacune d'elles
n'est qu' « une réalité en puissance qui n'aboutit
pas à l'acte [1] », — justement si ce qu'on appelle
la parenté des langues exprime beaucoup moins
des analogies de structure interne qu'un passage
historique de l'une à l'autre qui se trouve, par
chance, attesté, mais aurait pu ne l'être pas sans
que l'examen même des langues y supplée [2], — les
difficultés que l'on trouve à donner une formule
rationnelle de chaque langue, à la définir sans équivoque par une essence où ses caractères trouveraient
leur commune raison d'être, et à établir entre ces

1. Vendryès, *op. cit.*, p. 285.
2. *Ibid.*, p. 363 : « Si nous ne connaissions le français qu'à l'état de
langue parlée et sous sa forme actuelle, et si nous ignorions par ailleurs
les autres langues romanes et le latin, il ne serait pas si facile de prouver
que le français est une langue indo-européenne : quelques détails de
structure, comme l'opposition de *il est, ils sont* (pron. ilè, ison), ou mieux
encore la forme des noms de nombre ou des pronoms personnels, avec
quelques faits de vocabulaire comme les noms de parenté, voilà tout
ce que le français conserve d'indo-européen. Qui sait si l'on ne trouverait
pas des raisons plus topiques de le rattacher au sémitique ou au finno-
ougrien? »

essences de clairs rapports de dérivation, loin qu'elles
nous autorisent à pulvériser la langue en une somme
de faits fortuitement réunis et à traiter la fonction
même de langage comme une entité vide, montrent
qu'en un sens, dans cette immense histoire où rien
ne finit ou ne commence soudain, dans cette pro-
lifération intarissable de formes aberrantes, dans
ce mouvement perpétuel des langues où passé, présent et avenir sont mêlés, aucune coupure rigoureuse
n'est possible et qu'enfin, il n'y a, à la rigueur,
qu'un seul langage en devenir[1*]. S'il faut renoncer
à l'universalité abstraite d'une grammaire raisonnée qui donne l'essence commune à tous les langages,
ce n'est que pour retrouver l'universalité concrète
d'un langage qui se différencie de lui-même sans
jamais se renier ouvertement. Parce que je parle
présentement, ma langue n'est pas pour moi une
somme de faits, mais un seul instrument pour une
volonté d'expression totale. Et *parce qu'elle est cela
pour moi je suis capable d'entrer dans d'autres systèmes
d'expression* en les comprenant d'abord comme des
variantes du mien, puis en me laissant habiter
par eux au point de penser le mien comme une
variante de ceux-là. Ni l'unité de la langue, ni la
distinction des langues, ni leur parenté, ne cessent
d'être pensables, pour la linguistique moderne, une
fois qu'on a renoncé à concevoir une essence des
langues et du langage : simplement elles sont à
concevoir dans une dimension qui n'est plus celle
du concept ou de l'essence, mais de l'existence.

1. *Ibid.*, p. 273.
* *En marge, ces deux formules superposées :* universel existentiel,
éternité existentielle.

Même si le système du français est tout encombré de formes, de mots, de sons qui ne sont plus et d'autres qui ne sont pas encore le français canonique, reste que le sujet parlant est conscient d'une norme d'expression et très sensible aux formes insolites du parler; reste que, quand on va du latin au français, même s'il n'y a pas de frontière que l'*on passe*, un moment vient où incontestablement la frontière est passée. Et la comparaison des langues, l'estimation objective de leur pouvoir d'expression reste possible, quoique chacune, puisqu'elle a été parlée, ait *jusqu'à un certain point* satisfait au besoin d'expression. Bien qu'aucune expression ne soit jamais expression absolue, — ou plutôt pour cette raison même, — il y a des paroles qui disent ainsi, d'autres qui disent autrement, il en est qui disent plus et d'autres qui disent moins. Bien qu'il n'y ait pas à rêver d'un langage qui nous ouvre à des significations nues et qu'aucune parole ne s'efface tout à fait devant le sens vers lequel elle fait signe, — ou justement pour cette raison, — reste qu'il y a, dans l'exercice du langage, conscience de dire quelque chose, et présomption d'une consommation du langage, d'une parole qui termine tout. Simplement, l'existence distincte des systèmes de parole et celle des significations qu'ils visent est de l'ordre du perçu, ou du présent, non de l'ordre de l'idée ou de l'éternel. Je ne saurais dire quand précisément le soleil qui se couche a viré de sa lumière blanche à sa lumière rose, mais un moment vient où il m'éclaire en rose. Je ne saurais dire à quel moment cette image qui se dessine sur l'écran méritait d'être appelée un visage mais un moment vient où c'est un visage

qui est là. Si j'attends pour croire à cette chaise
devant moi d'avoir vérifié qu'elle satisfait bien à
tous les critères d'une chaise réelle, je n'en aurai
jamais fini; ma perception devance la pensée par
critères et me dit enfin que ces apparences veulent
dire : une chaise. De même, quoi que rien ne soit
jamais dit tout à fait devant l'histoire universelle,
il y a un certain jour où tous les signes que me
faisaient les livres et les autres ont voulu dire ceci,
et où je l'ai compris. Si j'allais supposer qu'ils n'ont
qu'appelé mon attention sur la pure signification
que je portais en moi, et qui est venue recouvrir
et comme résorber les expressions approchées qu'on
m'en offrait, alors je renoncerais à comprendre ce
que c'est que comprendre. Car la puissance du langage n'est pas dans le tête-à-tête qu'il ménagerait à
notre esprit et aux choses, ni d'ailleurs dans le privilège qu'auraient reçu les premiers mots de désigner
les éléments mêmes de l'être, comme si toute connaissance à venir et toute parole ultérieure se bornaient
à combiner ces éléments. Le pouvoir du langage
n'est ni dans cet avenir d'intellection vers lequel
il va, ni dans ce passé mythique d'où il proviendrait :
il est tout entier dans son présent en tant qu'il
réussit à ordonner les prétendus mots clefs de manière
à leur faire dire plus qu'ils n'ont jamais dit, qu'il
se dépasse comme produit du passé et nous donne
ainsi l'illusion de dépasser toute parole et d'aller
aux choses mêmes parce qu'en effet nous dépassons
tout langage donné. Dans ce moment-là, quelque
chose est bien acquis une fois pour toutes, fondé
à jamais, et pourra être transmis, comme les actes
d'expression passés l'ont été, non parce que nous

aurions saisi un morceau du monde intelligible ou
rejoint la pensée adéquate, — mais parce que notre
usage présent du langage pourra être repris tant
que le même langage sera en usage, ou tant que
des savants seront capables de le remettre au présent.
Cette merveille qu'un nombre fini de signes, de
tournures et de mots puisse donner lieu à un nombre
indéfini d'emplois, ou cette autre et identique merveille que le sens linguistique nous oriente sur un
au-delà du langage, c'est le prodige même du parler,
et qui voudrait l'expliquer par son « commencement »
ou par sa « fin » perdrait de vue son « faire ». Il
y a bien dans l'exercice présent de la parole reprise
de toute l'expérience antérieure, appel à la consommation du langage, éternité présomptive, mais comme
la chose perçue nous donne l'expérience de l'être
même au moment où elle contracte dans l'évidence
du présent une expérience ébauchée et la présomption d'un avenir sans fin qui la confirmerait...

En somme, ce que nous avons trouvé, c'est que
les signes, les morphèmes, les paroles une à une ne
signifient rien, qu'ils n'en viennent à porter signification que par leur assemblage, et qu'enfin la
communication va du tout de la langue parlée au
tout de la langue entendue. Parler, c'est à chaque
moment détailler une communication dont le principe est déjà posé. On demandera peut-être comment.
Car enfin, si ce qu'on nous dit de l'histoire de la
terre est fondé, il faut bien que la parole ait commencé, et elle recommence avec chaque enfant. Que
l'enfant aille du tout aux parties dans la langue, —
même s'il n'emploie lui-même, pour commencer,
que quelques-unes de ses possibilités, — ce n'est

pas surprenant, puisque le fonctionnement de la
parole adulte s'offre à lui en modèle. Il la saisit
d'abord comme ensemble vague et par un mouvement de va-et-vient chacun des instruments d'expression qui en émerge suscite des remaniements
de l'ensemble. Mais que dire de la première parole
de l'humanité? Elle ne s'appuyait pas sur une langue
déjà établie; il a bien fallu, dira-t-on, qu'elle fût
signifiante par elle-même. Mais ce serait oublier
que le principe de la communication était déjà
donné avant elle par le fait que l'homme perçoit
l'autre homme dans le monde, comme partie du
spectacle, et qu'ainsi tout ce que l'autre fait a déjà
même sens que ce que je fais, parce que son action
(en tant que j'en suis spectateur) vise les mêmes
objets auxquels j'ai à faire. La première parole ne
s'est pas établie dans un néant de communication
parce qu'elle émergeait des conduites qui étaient
déjà communes et prenait racine dans un monde
sensible qui déjà avait cessé d'être monde privé *.
Certes, elle a apporté à cette communication primordiale et muette autant et plus qu'elle n'en recevait.
Comme toutes les institutions, elle a transformé le
congénère en homme. Elle a inauguré un nouveau
monde, et, pour nous qui sommes dedans et savons
de quel renversement copernicien elle est responsable, il est légitime de refuser les perspectives qui
présenteraient le monde des institutions et du langage comme second et dérivé par rapport au monde
de la nature, et de vivre dans une sorte de religion
de l'homme. Cependant, comme toutes les religions,

* *En marge :* Logos du monde esthétique et logos.

celle-ci ne vit que d'emprunts extérieurs. Elle perdrait conscience d'elle-même si elle s'enfermait en elle-même, et cesserait d'honorer l'homme si elle ne connaissait aussi le silence pré-humain. La première parole trouvait son sens dans le contexte de conduites déjà communes comme la première constitution continuait en la dépassant une histoire spontanée. Puisqu'on ne peut faire l'économie, dans le fonctionnement du langage établi, de ce mouvement par lequel l'auditeur ou le lecteur dépasse les gestes linguistiques vers leur sens, le mystère de la première parole n'est pas plus grand que le mystère de toute expression réussie. Dans l'un comme dans l'autre il y a invasion d'un spectacle privé par un sens agile, indifférent aux ténèbres individuelles qu'il vient habiter. Mais ce vide du sens s'est préparé dans le plein de la vie individuelle, comme l'ébullition dans la masse de l'eau, dès que le senti s'est coagulé en choses. La parole en un sens reprend et surmonte, mais en un sens conserve et continue la certitude sensible, elle ne perce jamais tout à fait le « silence éternel » de la subjectivité privée. Maintenant encore, il continue par-dessous les paroles, il ne cesse pas de les envelopper, et, pour peu que les voix soient lointaines ou indistinctes, ou le langage assez différent du nôtre, nous pouvons retrouver, devant lui, la stupeur du premier témoin de la première parole.

Nous ne comprendrons même le langage qu'à ce prix. Dire qu'aucun signe isolé ne signifie, et que le langage renvoie toujours au langage, puisque à chaque moment seuls quelques signes sont reçus, c'est aussi dire que le langage exprime autant par

ce qui est *entre* les mots que par les mots eux-mêmes,
et par ce qu'il ne dit pas que par ce qu'il dit, comme
le peintre peint, autant que par ce qu'il trace, par les
blancs qu'il ménage, ou par les traits de pinceau qu'il
n'a pas posés *. L'acte de peindre est à deux faces :
il y a la tache de couleur ou de fusain que l'on met
sur un point de la toile ou du papier, et il y a l'effet
de cette tache sur l'ensemble, sans commune mesure
avec elle, puisqu'elle n'est presque rien et qu'elle
suffit à changer un portrait ou un paysage. Et quelqu'un qui observerait le peintre de trop près, le nez
sur son pinceau, ne verrait que l'envers de son travail. L'envers c'est ce mince trait noir, l'endroit c'est
la grande tache de soleil qu'il se met à circonscrire.
L'expérience a été faite. Une caméra a enregistré
au ralenti le travail de Matisse. L'impression était
prodigieuse, au point que Matisse lui-même en fut,
raconte-t-on, ému. Le même pinceau qui vu à l'œil
nu sautait d'une action à l'autre, on le voyait médi-
ter, dans un temps dilaté et solennel, dans une imminence de commencement du monde, commencer
dix actions possibles, exécuter devant la toile comme
une danse propitiatoire, la frôler plusieurs fois jusqu'à la toucher presque, et s'abattre enfin comme
l'éclair sur le seul tracé nécessaire. Il y a, bien
entendu, quelque chose d'artificiel dans cette analyse,
et si Matisse croit, sur la foi du film, qu'il a vraiment
choisi, ce jour-là, entre tous les tracés possibles, et
résolu comme le Dieu de Leibniz un immense problème de minimum et de maximum **, il se trompe :

* *En marge :* Analyser — que signifie cette référence à l'*ordinaire*,
à la norme? Il y a là une typique de communication, qu'il faut comprendre
si l'on veut comprendre les *Abweichungen.*
** *En marge :* Minimum et maximum : défini par quel cadre?

il n'est pas un démiurge, il est un homme. Il n'a pas eu, sous le regard de son esprit, tous les gestes possibles, il n'a pas eu à les éliminer tous sauf un, en rendant raison de son choix. C'est la caméra et le ralenti qui explicitent tous les possibles. Matisse, installé dans un temps et une vision d'homme, a regardé l'ensemble actuel et virtuel de sa toile et porté la main vers la région qui appelait le pinceau pour que le tableau fût enfin ce qu'il devenait. Il a résolu par un geste simple le problème qui, à l'analyse et après-coup, paraît comporter un nombre infini de données *, comme, selon Bergson, la main dans la limaille de fer obtient d'un coup un arrangement très compliqué. Tout s'est passé dans le monde humain de la perception et du geste, et c'est l'artifice de la caméra et du ralenti de nous donner de l'événement une version fascinante en nous faisant croire que la main de Matisse a miraculeusement passé du monde physique où une infinité de solutions sont possibles, au monde de la perception et du geste où quelques-uns seulement le sont. Cependant, il est

---

* *En marge :* Comparer avec l'analyse ci-dessous du style des miniatures. Le style comme généralité pré-conceptuelle — généralité du « pivot » qui est pré-objective, et qui fait la *réalité* du monde : la chose est là où la touche, n'est pas un géométral des *Abschattungen*, échappe à l'*Erlebnisanalyse* (son « entrée » à son registre est seulement [notée?] dans mon histoire) parce qu'il y a une transtemporalité qui n'est pas celle de l'*idéal*, mais celle de la blessure la plus profonde, inguérissable. Cette rationalité non constituée de la chose-pivot (rationalité non constituée n'est possible que si la chose est non frontale, ob-jet, mais ce qui mord sur moi et sur quoi je mords par mon corps, si la chose est, elle aussi, donnée en saisie indirecte, latérale comme autrui — une telle rationalité a la *décentration comme fondement du sens*) est déjà l'analogue de l'acte de peindre : on résout problèmes non posés, i. e. ce qu'on fait a plus de sens qu'on ne sait. C'est sur cette institution primordiale du corps qu'est fondée toute l'élaboration symbolique, qui, elle aussi, consiste à entrer de plain-pied dans domaine inconnu.

vrai que la main a hésité, qu'elle a médité, il est donc vrai qu'il y a eu choix, que le trait choisi l'a été de manière à satisfaire à dix conditions éparses sur le tableau, informulées, informulables pour tout autre que Matisse, puisqu'elles n'étaient définies et imposées que par l'intention de faire *ce tableau-là qui n'existait pas encore.* Il n'en va pas autrement de la parole vraiment expressive, — et donc de tout langage dans sa phase d'établissement. Elle ne choisit pas seulement un signe pour une signification déjà définie, comme on va chercher un marteau pour enfoncer un clou ou une tenaille pour l'arracher. Elle tâtonne autour d'une intention de signifier qui ne dispose d'aucun texte pour se guider, qui justement est en train de l'écrire. Et si nous voulons saisir la parole dans son opération la plus propre, et de manière à lui rendre pleine justice, il nous faut évoquer toutes celles qui auraient pu venir à sa place, et qui ont été omises, sentir comme elles auraient autrement touché et ébranlé la chaîne du langage, à quel point celle-ci était vraiment la seule possible *, si cette signification devait venir au monde... Bref, il nous faut considérer la parole avant qu'elle soit prononcée, sur le fond du silence qui la précède, qui ne cesse pas de l'accompagner, et sans lequel elle ne dirait rien; davantage, il nous faut être sensible à ces fils de silence dont le tissu de la parole est entremêlé **. Il y a, pour les expressions déjà acquises, un sens direct, qui correspond point par

---

* *En marge :* notion du possible : non-surgissement arbitraire, ex nihilo — mais apparition latérale d'un appareil de sens qui ne déploie que peu à peu son contenu...

** *En marge :* on ne sait pas ce qu'on dit, on sait après avoir dit.

point à des tournures, des formes, des mots institués; justement parce que ces expressions sont
acquises, les lacunes et l'élément de silence y sont
oblitérés, mais le sens des expressions en train de
se faire ne peut par principe être de cette sorte :
c'est un sens latéral ou oblique qui résulte du commerce des mots eux-mêmes (ou des significations
disponibles). C'est une manière neuve de secouer
l'appareil du langage, ou celui du récit, pour lui
faire rendre on ne sait quoi, puisque justement ce
qui se dit là n'a jamais été dit. Si nous voulons
comprendre le langage dans son opération signifiante d'origine, il nous faut feindre de n'avoir jamais
parlé, opérer sur lui une réduction sans laquelle il
se cacherait encore à nos yeux en nous reconduisant
à ce qu'il nous signifie, le regarder comme les sourds
regardent ceux qui parlent, et comparer l'art du
langage aux autres arts de l'expression qui n'ont
pas recours à lui, essayer de le voir comme l'un de
ces arts muets. Il se peut que le sens du langage ait,
sur le sens du tableau, certains privilèges, et qu'en
fin de compte nous ayons à dépasser ce parallèle,
mais c'est seulement en l'essayant que nous aper-
cevrons ce qui le rend finalement impossible, et
que nous aurons chance de découvrir le plus propre
du langage.

Le langage indirect

Même si, finalement, nous devons renoncer à traiter la peinture comme un langage, — ce qui est un
des lieux communs de notre temps, — et justement
pour mettre à l'épreuve ce lieu commun, il faut
commencer par reconnaître que le parallèle est un
principe légitime. Étant donné des organismes, des
objets ou fragments d'objets qui existent pesamment
dans son entourage, chacun en son lieu, et cependant
sont parcourus et reliés en surface par un réseau de
vecteurs, en épaisseur par un foisonnement de lignes
de force, le peintre jette les poissons et garde le filet.
Son regard s'approprie des correspondances, des
questions et des réponses qui ne sont, dans le monde,
qu'indiquées sourdement, et toujours étouffées par
la stupeur des objets, il les désinvestit, les délivre
et leur cherche un corps plus agile *. Étant donné,
par ailleurs, des couleurs et une toile qui font partie
du monde, il les prive soudain de leur inhérence :
la toile, les couleurs elles-mêmes, parce qu'elles ont
été choisies et composées selon un certain secret,

---

* *En marge :* Métensomatose de l'art. Qu'est-ce qui est transporté?

cessent pour notre regard de demeurer là où elles sont, elles font trou dans le plein du monde, elles deviennent, comme les fontaines ou les forêts, le lieu d'apparition des Esprits, elles ne sont plus là que comme le minimum de matière dont un sens avait besoin pour se manifester *. La tâche du langage est semblable : étant donné une expérience qui peut être banale mais se résume pour l'écrivain en une certaine saveur très précise de la vie, étant donné par ailleurs des mots, des formes, des tournures, une syntaxe, et même des genres littéraires, des manières de raconter qui sont, par l'usage, investis déjà d'une signification commune, à la disposition de chacun, choisir, assembler, manier, tourmenter ces instruments de telle manière qu'ils induisent le même sentiment de la vie qui habite l'écrivain à chaque instant, mais déployé désormais dans un monde imaginaire et dans le corps transparent du langage. C'est donc, des deux côtés, la même transmutation, la même migration d'un sens épars dans l'expérience, qui quitte la chair où il n'arrivait pas à se rassembler, mobilise à son profit des instruments déjà investis, et les emploie de telle façon qu'enfin ils deviennent pour lui le corps même dont il avait besoin pendant qu'il passe à la dignité de signification exprimée. Puisque la même opération expressive fonctionne ici et là, il est possible de considérer la peinture sur le fond du langage et le langage sur le fond de la peinture, et c'est nécessaire si l'on veut les soustraire à notre accoutumance, à la fausse évidence de ce qui va de soi.

---

* *En marge :* L'imaginaire logé dans le monde.

Notre comparaison du langage et de la peinture n'est possible que grâce à une idée de l'expression créatrice qui est moderne, et pendant des siècles les peintres et les écrivains ont travaillé sans soupçonner leur parenté. Mais c'est un fait, comme l'a montré André Malraux, que, chacun à leur façon et chacun pour leur compte, ils ont connu la même aventure. Comme le langage, la peinture vit d'abord dans le milieu du sacré extérieur. Ils ne connaissent leur propre miracle qu'en énigme, dans le miroir d'une Puissance extérieure. La transmutation qu'ils opèrent du sens en signification, ils en font hommage à l'Être qu'ils se croient destinés à servir. Il ne faut pas dire seulement qu'ils s'offrent comme des moyens pour célébrer le sacré : cela n'expliquerait pas qu'ils s'identifient si universellement et si longtemps à la religion. Il faut dire qu'ils sont eux-mêmes culte et religion, parce qu'ils n'ont pas assumé leur propre pouvoir. Tant que l'art est voué à la cité et à ses dieux, tant que la parole est conçue comme le simple exercice d'un langage d'institution divine, le prodige de la communication entre les hommes est projeté en arrière de nous; l'art et la littérature s'apparaissent comme le jeu à travers nous d'un art et d'une parole des origines où tout est d'avance contenu. C'est de là qu'il faut partir pour donner tout son sens à la récupération chez les modernes de la peinture et du langage par eux-mêmes. Car si nous sommes très loin de concevoir l'art et le langage comme des institutions divines dont nous n'aurions plus qu'à user, nous sommes encore pleins d'une conception classique de l'art et du langage qui n'est en somme qu'une sécularisation de cette conception-là

— et qui même, à beaucoup d'égards, est moins qu'elle conciliable avec la conscience moderne de l'expression. Si l'art est la représentation d'une nature qu'il peut tout au plus embellir, mais en suivant les recettes qu'elle lui enseigne, si, comme le voulait La Bruyère, notre parole n'a d'autre rôle que de retrouver l'expression juste d'avance assignée à chaque pensée par un langage des choses mêmes, on peut bien dire que l'acte de peindre et l'acte d'écrire commencent d'être autonomes, puisqu'ils ne reconnaissent plus d'autre maître que la vérité ou la nature; mais par ailleurs, détachés du sacré, c'est-à-dire de ce qui dépasse l'homme, ordonnés à une nature en soi ou à un langage en soi, ils cessent de vivre en état de tension, ils se destinent à un état de perfection où l'expression pleine serait atteinte et il faudra un vrai bouleversement des idées reçues pour qu'elles retrouvent la conscience de leur inachèvement. Nous sommes nous-mêmes toujours tentés de revenir à ce rationalisme. Il faut donc l'examiner mieux — avec plus d'insistance peut-être que Malraux ne l'a fait.

Tout montre, comme il le dit, que la peinture classique en Europe se conçoit comme la représentation des objets et des hommes dans leur fonctionnement *naturel*. La prédilection pour la peinture à l'huile, qui permet, mieux qu'une autre, d'attribuer à chaque élément de l'objet ou du visage humain un représentant pictural distinct, la recherche de signes qui puissent, incorporés au tableau, donner l'illusion de la profondeur ou du volume par le jeu des lumières, le raccourci ou le clair-obscur, — celle du mouvement, celle des formes, celle des valeurs tactiles et des différentes sortes de matière (qu'on pense aux études patientes qui ont conduit à sa perfection la représentation du velours), ces secrets, ces procédés découverts par un peintre, transmis aux autres, augmentés à chaque génération, sont les éléments d'une technique générale de représentation qui, à la limite, atteindrait la chose même, l'homme même, dont on n'imagine pas un instant qu'ils puissent renfermer du hasard ou du vague. Ils évoquent un progrès de la peinture vers un monde et un homme accomplis dont il s'agit pour elle d'égaler le fonctionnement souverain. Sur ce chemin dont la fin est clairement définie, des pas sont faits sur lesquels il n'y a pas à revenir. La carrière d'un peintre, les productions d'une école, le développement même de la peinture marchent vers des œuvres dans lesquelles se résument toute une série d'acquisitions, vers des *chefs-d'œuvre* où enfin est obtenu ce qui était auparavant cherché, qui, au moins provisoirement, rendent inutiles les essais antérieurs et qui en tout cas marquent pour toujours un certain progrès de la peinture... Enfin, le rapport du peintre et de son modèle, tel qu'il s'exprime dans la peinture classique, suppose aussi une certaine idée de la communication entre le peintre et le spectateur de ses tableaux. Quand le peintre classique, face à sa toile, recherche une expression des objets et des êtres qui en garde toute la richesse et en rende toutes les propriétés, c'est qu'il veut être aussi convaincant que les choses, qu'il ne pense pouvoir nous atteindre que comme elles nous atteignent : en imposant à *nos sens* un spectacle irrécusable. Toute la peinture classique suppose cette idée d'une communication entre le peintre et son public à travers l'évidence des choses. Le problème moderne de savoir comment l'intention du peintre renaîtra en ceux qui regardent ses tableaux, — il n'est pas même posé par la peinture classique, qui s'en remet, pour assurer la communication, à l'appareil de la perception considéré comme moyen *naturel* de communication entre les hommes. N'avons-nous pas tous des yeux, qui fonctionnent à peu près de la même manière, et, si le peintre a su découvrir des signes suffisants de la profondeur ou du velours, n'aurons-nous pas tous, en regardant son tableau, le même spectacle, doué de la même sorte d'évidence qui appartient aux choses perçues?

Pourtant si la peinture classique s'est donné pour but la représentation de la nature et de la nature humaine, reste que ces peintres étaient des peintres, et qu'aucune peinture valable n'a jamais consisté à représenter simplement. Malraux indique souvent que la conception moderne de la peinture, comme expression *créatrice*, a été une nouveauté pour le public beaucoup plus que pour les peintres eux-mêmes, qui l'ont toujours pratiquée, même s'ils n'en avaient pas conscience et n'en faisaient pas la théorie, qui, pour cette raison même, ont souvent anticipé la peinture que nous pratiquons, et restent les intercesseurs désignés de toute initiation à la peinture. Il faut donc penser que, les yeux fixés vers le monde et au moment même où ils croyaient lui demander le secret d'une représentation suffisante, ils opéraient à leur insu cette transformation ou cette métamorphose que la peinture dans la suite s'est expressément proposé comme but. Mais alors, pour définir la peinture classique, il ne suffit sans doute pas de parler de *représentation* ou de *nature*, ou d'une référence à *nos sens* comme moyens de communication naturels : ce n'est pas ainsi que la peinture classique nous touche, ce n'est pas même ainsi qu'elle a touché ses premiers spectateurs, et il nous faut trouver le moyen de lier en elle l'élément de création et l'élément de représentation.

Peut-être y parviendrait-on en examinant de plus près l'un des moyens de « représentation » dont elle s'est le plus souvent enorgueilli, la perspective, et en montrant qu'il était en réalité créé de toutes pièces. Malraux parle quelquefois comme si *les sens* et les données des sens, à travers les siècles, n'avaient jamais varié, et comme si, tant que la peinture se référait à eux, la perspective classique s'imposait à elle. Il est pourtant certain que cette perspective n'est pas une loi de fonctionnement de la perception, qu'elle relève de l'ordre de la culture, qu'elle est une des manières inventées par l'homme de projeter devant lui le monde perçu, et non pas le décalque de ce monde. Si nous en confrontons les règles avec le monde de la vision spontanée, il nous apparaît aussitôt qu'elles en sont une interprétation facultative, quoique peut-être plus probable qu'une autre, — non que le monde perçu démente les lois de la perspective et en impose d'autres, mais plutôt parce qu'il n'en exige aucune en particulier, et qu'il est d'un autre ordre qu'elles. Il ne faut pas se lasser de revenir aux belles remarques des psychologues qui ont montré que, dans la perception libre et spontanée, les objets échelonnés en profondeur n'ont aucune grandeur apparente définie. Les objets éloi-

gnés ne sont pas même plus grands que ne l'enseigne
la perspective, la lune à l'horizon n'est pas « plus
grande » que la pièce d'un franc que je tiens près
de moi, du moins pas de cette grandeur qui serait
comme la mesure des deux objets : elle est « objet
grand à distance »; la grandeur dont il s'agit est
comme le chaud ou le froid une qualité qui adhère
à la lune et qui ne peut pas se mesurer par un
certain nombre de *parties aliquotes* de la pièce de
monnaie.

L'objet proche et l'objet lointain ne sont pas
comparables, ils sont l'un proche et d'une « petitesse »
absolue, l'autre éloigné et d'une « grandeur » absolue,
et voilà tout. Si je veux passer de là à la perspective,
il faut que je cesse de regarder librement le spectacle
tout entier, que je ferme un œil et circonscrive
ma vision, que je repère sur un objet que je tiens
ce que j'appelle la grandeur apparente de la lune
et celle de la pièce de monnaie, et qu'enfin je reporte
sur le plan unique du papier les communes mesures
que j'obtiens. Mais pendant ce temps le monde
perçu a disparu : je ne puis obtenir le commun
dénominateur ou la commune mesure qui permet
la projection plane qu'en renonçant à la simultanéité
des objets. Quand je voyais d'un seul regard la
pièce de monnaie et la lune, il fallait que mon
regard fût fixé sur l'un des deux, et l'autre m'appa-
raissait alors en marge, objet-petit-vu-de-près, ou
objet-grand-vu-de-loin, incommensurable avec le
premier, et comme situé dans un autre univers. Ce
que je reporte sur le papier, ce n'est pas cette
coexistence des objets perçus, leur rivalité devant
mon regard. Je trouve le moyen d'arbitrer leur

conflit, qui fait la profondeur. Je décide de les
faire cohabiter sur un même plan, et j'y parviens
en substituant au spectacle total et en coagulant
sur le papier une série de visions locales mono-
culaires, dont aucune n'est superposable aux parties
du champ perceptif vivant. Alors que les choses
se disputaient mon regard, et que, ancré en l'une
d'elles, je sentais la sollicitation que les autres adres-
saient à mon regard et qui les faisait coexister
avec la première, alors que j'étais à chaque instant
investi dans le monde des choses et débordé par
un horizon de choses à voir, incompossibles avec
celle que je voyais actuellement, mais *par là même*
simultanées avec elle, je construis une représentation
où chacune cesse d'exiger pour soi toute la vision,
fait des concessions aux autres et consent à n'occuper
plus sur le papier que l'espace qui lui est laissé
par elles. Alors que mon regard parcourant librement
la profondeur, la hauteur et la longueur n'était
assujetti à aucun point de vue, parce qu'il les
adoptait et les rejetait tous tour à tour, je renonce
à cette ubiquité et conviens de ne faire figurer
dans mon dessin que ce qui pourrait être vu d'un
certain point de station par un œil immobile fixé
sur un certain « point de fuite », d'une certaine « ligne
d'horizon » choisie une fois pour toutes. Alors que
j'avais l'expérience d'un monde de choses, fourmil-
lantes, exclusives, dont chacune appelle le regard
et qui ne saurait être embrassé que moyennant un
parcours temporel où chaque gain est en même
temps perte, voici que ce monde cristallise en une
perspective ordonnée où les lointains se résignent
à n'être que des lointains, inaccessibles et vagues

comme il convient, où les objets proches aban-
donnent quelque chose de leur agressivité, ordonnent
leurs lignes intérieures selon la loi commune du
spectacle, et se préparent déjà à devenir lointains,
quand il faudra, où rien en somme n'accroche le
regard et ne fait figure de présent. Tout le tableau
est au passé, dans le mode du révolu ou de l'éternité;
tout prend un air de décence et de discrétion; les
choses ne m'interpellent pas et je ne suis pas compromis par elles. Et si j'ajoute à cet artifice de la perspective géométrique celui de la perspective aérienne,
comme le font en particulier tant de tableaux véni-
tiens, on sent à quel point celui qui peint le paysage
et celui qui regarde le tableau sont supérieurs au
monde, comme ils le dominent, comme ils l'em-
brassent du regard. La perspective est beaucoup
plus qu'un secret technique pour représenter une
réalité qui se donnerait à tous les hommes de cette
manière-là : elle est la réalisation même et l'invention
d'un monde dominé, possédé de part en part, dans
un système instantané, dont le regard spontané nous
offre tout au plus l'ébauche, quand il essaie vainement de tenir ensemble toutes les choses dont chacune l'exige en entier. La perspective géométrique
n'est pas plus la seule manière de voir le monde sensible que le portrait classique n'est la seule manière de
voir l'homme. Ces visages, toujours au service d'un
caractère, d'une passion ou d'une humeur, — toujours signifiants, — ils supposent la même relation
de l'homme au monde qui se lit dans le paysage
classique, le rapport de l'adulte sûr de soi au monde
qu'il domine. L'expression de l'enfance dans la peinture classique n'est presque jamais celle de l'enfance

pour elle-même et telle qu'elle se vit. C'est le regard
pensif que nous admirons quelquefois chez les bébés
ou chez les animaux parce que nous en faisons
l'emblème d'une méditation d'adulte, quand elle
n'est que l'ignorance de notre monde. La peinture
classique, avant d'être et pour être représentation
d'une réalité, et étude de l'objet doit être d'abord
métamorphose du monde perçu en un univers péremptoire et rationnel, et de l'homme empirique, confus
et incertain, en caractère identifiable.

Il importe de comprendre la peinture classique
comme une création, et cela, dans le moment même
où elle veut être représentation d'une réalité. De
cette mise en perspective dépend l'idée qu'on se fera
de la peinture moderne. Tant qu'on croit que l'objectivité des classiques est justifiée par le fonctionnement naturel de nos sens et fondée sur l'évidence de
la perception, toute autre tentative ne peut consis-
ter qu'à rompre avec l'objectivité et avec la perception, à se tourner vers l'individu et à faire de la
peinture une cérémonie à son honneur. Il n'y a plus
qu'un sujet en peinture, qui est le peintre lui-même [1].
Ce n'est plus le velouté des pêches que l'on cherche,
comme Chardin, c'est, comme Braque, le velouté du
tableau. Tandis que les classiques étaient eux-mêmes
à leur insu, les peintres modernes cherchent d'abord
à être originaux et leur pouvoir d'expression se
confond avec leur différence individuelle [2]. Puisque
la peinture n'est plus pour la foi ou pour la beauté,

1. *Le Musée imaginaire, la Psychologie de l'Art*, Skira, p. 59. *(Toutes
les citations de Malraux sont empruntées à cette édition; il n'a pas été
possible de renvoyer à l'édition Gallimard des* Voix du silence, *les deux textes
publiés par l'écrivain étant sensiblement différents).*
2. *Ibid.*, p. 79.

elle est pour l'individu [1], elle est l'annexion du monde par l'individu [2]. L'artiste sera donc « de la famille de l'ambitieux, du drogué [3] », voué comme eux à un seul plaisir têtu et monotone, plaisir de soi-même et plaisir du soi le plus individuel, le moins cultivé, plaisir du démon, de tout ce qui, dans l'homme, détruit l'homme... Malraux sait pourtant bien que la peinture moderne n'est pas que cela et qu'on serait bien en peine d'appliquer à Cézanne ou à Klee par exemple cette définition. Oui, des peintres modernes livrent comme tableaux des esquisses que les classiques gardaient pour eux, même quand elles étaient plus éloquentes que leurs tableaux, et cherchaient à traduire dans le langage tout explicite d'une œuvre achevée. Oui, chez certains modernes, le tableau n'est plus que la signature, la griffe d'un moment de vie, il demande à être vu en exposition, dans la série des œuvres successives, alors que le tableau classique se suffisait et s'offrait à la contemplation. Mais la tolérance de l'inachevé peut vouloir dire deux choses : ou bien en effet qu'on renonce à l'œuvre et qu'on ne prétend plus qu'à l'expression immédiate de l'instant, du senti et de l'individu — à l' « expression brute » comme dit encore Malraux, — ou que l'achèvement, la présentation objective et convaincante pour les sens, n'est plus considéré comme nécessaire ni même comme suffisant, et qu'on a trouvé ailleurs le signe propre de l'œuvre accomplie. Baudelaire a écrit, d'un mot que Malraux rappelle, « qu'une œuvre faite n'était pas néces-

---

1. *Ibid.*, p. 83.
2. *La Monnaie de l'Absolu*, p. 118.
3. *La Création artistique*, p. 144.

sairement finie et une œuvre finie pas nécessairement faite [1] ». Soulignons les derniers mots, et nous
comprendrons que les modernes, du moins les meilleurs et les plus précieux, ne recherchent pas l'inachevé pour l'inachevé, qu'ils mettent seulement au-
dessus de tout le moment où l'œuvre est *faite*, ce
moment, précoce ou tardif, où le spectateur est
atteint par le tableau, reprend mystérieusement à
son compte le sens du geste qui l'a créé et, sautant
les intermédiaires, sans autre guide qu'un certain
mouvement de la ligne inventée, un tracé du pinceau presque dépourvu de matière, rejoint le monde
silencieux du peintre, désormais proféré et accessible.
Il y a l'improvisation des peintres-enfants, qui n'ont
pas appris leur propre geste; ils se laissent posséder
et dissoudre par l'instant, et sous prétexte qu'un
peintre est une main, ils pensent qu'il suffit d'avoir
une main pour peindre. Ils tirent de leur corps de
menus prodiges comme un jeune homme morose
peut toujours tirer du sien, pourvu qu'il l'observe
avec assez de complaisance, quelque petite étrangeté
bonne à nourrir sa religion de lui-même ou de la
psychanalyse. Mais il y a aussi l'improvisation de
celui qui, tendu vers le monde, une œuvre faisant la
courte échelle à l'autre, a fini par se constituer un
organe d'expression et comme une voix apprise qui
est plus sienne que son cri des origines. Il y a l'improvisation de l'écriture automatique et il y a celle
de *La Chartreuse de Parme*. Une des grandeurs de la
pensée et de l'art modernes est d'avoir défait les
faux liens qui unissaient l'œuvre valable et l'œuvre

1. *Le Musée imaginaire*, p. 63.

finie. Puisque la perception même n'est jamais *finie*,
puisqu'elle ne nous donne un monde à exprimer et
à penser qu'à travers des perspectives partielles qu'il
déborde de tous côtés, que son inénarrable évidence
n'est pas de celles que nous possédons, et qu'enfin il
ne s'annonce lui aussi que par des signes foudroyants
comme peut l'être une parole, la permission de ne
pas « achever » n'est pas nécessairement préférence
donnée à l'individu sur le monde, au non-signifiant
sur le signifiant, elle peut être aussi la reconnaissance d'une manière de communiquer qui ne passe
pas par l'évidence objective, d'une signification qui
ne vise pas un objet déjà donné, mais le constitue
et l'inaugure, et qui n'est pas prosaïque parce qu'elle
réveille et reconvoque en entier notre pouvoir d'exprimer et notre pouvoir de comprendre. La peinture
moderne nous pose un tout autre problème que celui
du retour à l'individu : il s'agit de savoir comment
on peut communiquer sans le secours d'une nature
préétablie et sur laquelle nos sens à tous ouvriraient,
comment il peut y avoir une communication avant
la communication et enfin une raison avant la raison.

Sur ce point, Malraux, dans certains endroits de
son livre, dépasse ses énoncés contestables sur l'individualisme de la peinture moderne, et va plus loin
qu'on n'a jamais été, depuis que Husserl a introduit,
pour traduire notre rapport original au monde, la
notion de *style*. Ce que le peintre cherche à mettre
dans un tableau, ce n'est pas le soi immédiat, la
nuance même du sentir, c'est son style, et il n'a pas
moins à le conquérir sur ses propres essais, sur le soi
donné, que sur la peinture des autres ou sur le
monde. Combien de temps, dit Malraux, avant qu'un

écrivain ait appris à parler avec sa propre voix. De même, combien de temps avant que le peintre qui n'a pas, comme l'historien de la peinture, l'œuvre déployée sous les yeux, mais qui la *fait*, reconnaisse, noyés dans ses premiers tableaux, les linéaments de ce qui sera, mais seulement s'il ne se trompe pas sur lui-même, son œuvre faite... A vrai dire ce n'est pas même en eux qu'il se discerne lui-même. Le peintre n'est pas plus capable de voir ses tableaux que l'écrivain de se lire. Ces toiles peintes, ces livres, ont avec l'horizon et le fond de leur propre vie une ressemblance trop immédiate pour que l'un et l'autre puissent éprouver dans tout son relief le phénomène de l'expression. Il faut d'autres flux intérieurs pour que la vertu des ouvrages éclate en y suscitant des significations dont ils n'étaient pas capables. C'est même en eux seulement que les significations sont significations : pour l'écrivain ou pour le peintre, il n'y a qu'allusion de soi à soi, familiarité du ronron personnel pompeusement appelé monologue inté-rieur, non moins trompeuse que celle que nous avons avec notre corps ou, comme disait Malraux juste-ment dans *La Condition humaine*, que notre voix « entendue par la gorge »... Le peintre fait son sillage, mais, sauf quand il s'agit d'œuvres déjà anciennes et où il s'amuse à retrouver ce qu'il est devenu depuis, il n'aime pas tant le regarder : il a mieux par devers soi; pour lui tout est toujours au présent, le faible accent de ses premières œuvres est éminemment contenu dans le langage de sa maturité, comme la géométrie euclidienne, à titre de cas particulier dans quelque géométrie généralisée. Sans se retourner vers leurs premiers ouvrages, et du seul fait qu'ils ont

accompli certaines opérations expressives, l'écrivain
et le peintre sont doués comme de nouveaux organes
et éprouvant, dans cette nouvelle condition qu'ils se
sont donnée, l'excès de ce qui est *à dire* sur leurs
pouvoirs ordinaires, sont capables, — à moins qu'un
mystérieux tarissement n'intervienne, dont l'histoire
offre des exemples — d'aller dans le même sens « plus
loin », comme s'ils se nourrissaient de leur substance,
s'accroissaient de leurs dons, comme si chaque pas
fait exigeait et rendait possible un autre pas, comme
si enfin chaque expression réussie prescrivait à l'automate spirituel une autre tâche ou encore fondait une
institution dont il n'aura jamais fini de vérifier l'exercice. Ainsi, ce « schéma intérieur » qui se réalise toujours plus impérieusement dans les tableaux, au point
que la fameuse chaise devient *pour nous* « un brutal
idéogramme du nom même de Van Gogh [1] », *pour
Van Gogh*, il n'est pas ébauché dans ses premières
œuvres, il n'est pas davantage lisible dans ce qu'on
appelle sa vie intérieure, car alors Van Gogh n'aurait
pas besoin de tableaux pour se rejoindre, et cesserait
de peindre. Il est cette vie en tant qu'elle sort de
son inhérence et de son silence, que sa différence la
plus propre cesse de jouir d'elle-même et devient
moyen de comprendre et de faire comprendre, de
voir et de donner à voir, — non pas donc renfermé
dans quelque laboratoire privé, au tréfonds de l'individu muet, mais diffus dans son commerce avec le
monde visible, répandu dans tout ce qu'il voit. Le
style est ce qui rend possible toute signification.
Avant le moment où des signes ou des emblèmes

1. *Le Musée imaginaire,* pp. 79-80.

deviendront en chacun et dans l'artiste même le
simple indice de significations qui y sont déjà, il faut
qu'il y ait ce moment fécond où ils ont *donné forme* à
l'expérience, où un sens qui n'était qu'opérant ou
latent s'est trouvé les emblèmes qui devaient le libérer et le rendre maniable pour l'artiste et accessible
aux autres. Si nous voulons vraiment comprendre
l'origine de la signification — et, faute de le faire,
nous ne comprendrons aucune création, aucune
culture, nous reviendrons à la supposition d'un monde
intelligible où tout soit d'avance signifié — il faut
ici nous priver de toute signification déjà instituée,
et revenir à la situation de départ d'un monde non
signifiant qui est toujours celle du créateur, du moins
à l'égard de cela justement qu'il va dire. Mesurons
bien le problème : il n'est pas de comprendre comment des significations, ou des idées, ou des procédés donnés vont être appliqués à cet objet, quelle
figure imprévue va prendre le savoir dans cette circonstance. Il est d'abord de comprendre comment
cet objet, cette circonstance se mettent à signifier,
et sous quelles conditions. Dans la mesure où le
peintre a déjà peint, et où il est à quelque égard
maître de lui-même, ce qui lui est donné avec son
style, ce n'est pas un certain nombre d'idées ou de
tics dont il puisse faire l'inventaire, c'est un mode
de formulation aussi reconnaissable pour les autres,
aussi peu visible pour lui que sa silhouette ou ses
gestes de tous les jours. Quand donc Malraux écrit
que le style est le « moyen de recréer le monde selon
les valeurs de l'homme qui le découvre [1] » ou qu'il est

1. *La Création artistique*, p. 151.

l' « expression d'une signification prêtée au monde,
appel, et non conséquence, d'une vision [1] » ou enfin
qu'il est « la réduction à une fragile perspective
humaine du monde éternel qui nous entraîne dans
une dérive d'astres selon son rythme mystérieux [2] »,
il est sûr que ces définitions ne vont pas au centre
du phénomène : elles ne se placent pas au moment
où le style opère, elles sont rétrospectives, elles nous
en indiquent certaines conséquences, mais non pas
l'essentiel. Quand le style est au travail, le peintre
ne sait rien de l'antithèse de l'homme et du monde,
de la signification et de l'absurde, puisque l'homme
et la signification se dessineront sur le fond du
monde justement par l'opération du style. Si cette
notion, comme nous le croyons, mérite le crédit que
Malraux lui ouvre, c'est à condition qu'elle soit première, et que le style donc ne puisse se prendre pour
objet, puisqu'il n'est encore rien et ne se rendra
visible que dans l'œuvre. Nous ne pouvons pas dire
assurément que le style soit un moyen de représenter, ce qui serait lui supposer quelque modèle
extérieur, et supposer la peinture faite avant la peinture, mais pas davantage que la représentation du
monde soit « un *moyen du style* [3] », ce qui serait le
faire connu d'avance comme une *fin*. Il faut le voir
apparaître au point de contact du peintre et du
monde, au creux de sa perception de peintre et
comme une exigence issue d'elle. Malraux le montre
dans un de ses meilleurs passages : la perception
déjà stylise. Une femme qui passe, ce n'est pas

1. *Ibid.*, p. 154.
2. *Ibid.*, p. 154.
3. Comme le dit Malraux dans *La Création artistique*, p. 158.

d'abord pour moi un contour corporel, un mannequin
colorié, un spectacle en tel lieu de l'espace, c'est « une
expression individuelle, sentimentale, sexuelle », c'est
une chair tout entière présente, avec sa vigueur et sa
faiblesse, dans la démarche ou même dans le choc
du talon sur le sol. C'est une manière unique de
varier l'accent de l'être féminin et à travers lui de
l'être humain, que je comprends comme je comprends
une phrase, parce qu'elle trouve en moi le système
de résonateurs qui lui convient. Déjà donc la perception stylise, c'est-à-dire qu'elle affecte tous les
éléments d'un corps ou d'une conduite, d'une certaine commune déviation par rapport à quelque
norme familière que je possède par devers moi. Mais,
si je ne suis pas peintre, cette femme qui passe ne
parle qu'à mon corps ou à mon sentiment de la vie.
Si je le suis, cette première signification va en susciter une autre. Je ne vais pas seulement prélever
sur ma perception visuelle et porter sur la toile les
traits, les couleurs, les tracés, et ceux-là seulement,
entre lesquels deviendra manifeste la valeur sensuelle
ou la valeur vitale de cette femme. Mon choix et les
gestes qu'il guide vont encore se soumettre à une
condition plus restrictive : tout ce que je trouvai,
comparé au réel « observable », sera soumis à un
principe de déformations plus secret, qui fera qu'enfin
ce que le spectateur verra sur la toile ne sera plus
seulement l'évocation d'une femme, ni d'un métier,
ni d'une conduite, ni même d'une « conception de la
vie » (celle du modèle ou celle du peintre) mais d'une
manière typique d'habiter le monde et de le traiter,
enfin de le signifier par le visage comme par le vêtement, par la chair comme par l'esprit. « Tout style

est la mise en forme des éléments du monde qui
permettent d'orienter celui-ci vers une de ses parts
essentielles [1]. » Il y a signification lorsque nous sou-
mettons les données du monde à une « déformation
cohérente [2] ». Mais d'où vient qu'elle nous semble
cohérente et que tous les vecteurs visibles et moraux
du tableau convergent vers la même signification
$\times$? Ils ne peuvent, nous l'avons dit, renvoyer à
aucun ordre de significations préétablies. Il faut donc
que le monde perçu par l'homme soit tel que nous
puissions y faire paraître, par un certain arrangement des éléments, des emblèmes non seulement de
nos intentions instinctives, mais encore de notre rapport le plus ultime à l'être. Le monde perçu et peut-
être même celui de la pensée est fait de telle sorte
qu'on ne peut y placer quoi que ce soit qui aussitôt
ne prenne sens aux termes d'un langage dont nous
devenons dépositaires, mais qui est tâche autant
qu'héritage. Il suffit que, dans le plein des choses,
nous ménagions certains creux, certaines fissures,
— et dès que nous vivons nous le faisons, — pour
faire venir au monde cela même qui lui est le plus
étranger : *un sens*, une incitation sœur de celles qui
nous entraînent vers le présent ou l'avenir ou le
passé, vers l'être ou le non-être... Il y a style (et de
là signification) dès qu'il y a des figures et des fonds,
une norme et une déviation, un haut et un bas,
c'est-à-dire dès que certains éléments du monde
prennent valeur de dimensions selon lesquelles désormais nous mesurons tout le reste, par rapport aux-

1. Cité par Maurice Blanchot, « Le Musée, l'Art et le Temps », in
Critique, n° 43, décembre 1950, p. 204.
2. *La Création artistique*, p. 152.

quelles nous indiquons tout le reste. Le style est dans
chaque peintre le système d'équivalences qu'il se
constitue pour cette œuvre de manifestation, l'indice
général et concret de la « déformation cohérente »
par laquelle il concentre la signification encore éparse
dans sa perception, et la fait exister expressément.

L'expression picturale reprend et dépasse la mise
en forme du monde qui est commencée dans la
perception. C'est dire que l'œuvre ne se fait pas
loin des choses et dans quelque laboratoire intime,
dont le peintre aurait et aurait seul la clef. C'est dire
aussi qu'elle n'est pas de sa part un décret arbitraire, et qu'il se reporte toujours à *son* monde comme
si le principe des équivalences par lesquelles il va
le manifester y était depuis toujours enseveli. Il ne
faut pas ici que les écrivains sous-estiment le *travail*,
l'*étude* du peintre, et, sous prétexte qu'en effet la peinture est peinture, et non pas parole, oublient ce qu'il
y a de méthodique dans la recherche du peintre.
C'est vrai, son système d'équivalences, à peine tiré
du spectacle du monde, il l'investit à nouveau dans
des couleurs, dans un espace, sur une toile; le sens
imprègne le tableau plutôt que le tableau ne l'exprime. « Cette déchirure jaune du ciel au-dessus
du Golgotha,... c'est une angoisse faite chose, une
angoisse qui a tourné en déchirure jaune du ciel
et qui du coup est submergée, empâtée par les
qualités propres des choses... [1] » Le sens s'enlise dans
le tableau, habite ou hante le tableau, tremble
autour de lui « comme une brume de chaleur [2] »
plutôt qu'il n'est manifesté par lui. C'est comme

1. J.-P. Sartre, *Situations II*, N.R.F., p. 61.
2. *Ibid.*, p. 60.

« un effort immense et vain, toujours arrêté à mi-chemin du ciel et de la terre [1] » pour exprimer ce que la nature du tableau lui défend d'exprimer. Cette impression est peut-être inévitable chez les professionnels du langage, il leur arrive ce qui nous arrive à entendre une langue étrangère que nous parlons mal : elle nous semble monotone, marquée d'une saveur trop forte et toujours la même, justement parce qu'elle n'est pas nôtre et que nous n'en avons pas fait l'instrument principal de nos rapports avec le monde. Le sens du tableau reste captif pour nous qui ne communiquons pas avec le monde par la peinture. Mais pour le peintre, — et même pour tous les passionnés de la peinture, — il faut bien qu'il soit plus qu'une brume de chaleur à la surface de la toile, puisqu'il est capable d'exiger *cette* couleur ou *cet* objet de préférence à tout autre, et qu'il commande tels arrangements subordonnés aussi impérieusement qu'une syntaxe ou qu'une logique... Bien sûr, le sens de cette déchirure jaune du ciel, au-dessus du Golgotha, reste captif de la couleur, comme le laineux reste captif du bleu ou la gaieté acide du vert pomme. Mais tout le tableau n'est pas là. Cette angoisse adhérente à la couleur n'est qu'une composante d'un sens total moins pathétique, plus durable, plus *lisible*, et qui restera en nous quand nous aurons depuis longtemps quitté le tableau des yeux. Malraux a raison de rapporter l'anecdote de l'hôtelier de Cassis qui voit Renoir au travail devant la mer et s'approche : « c'étaient des femmes nues qui se baignaient dans un autre

---

1. *Ibid.*, p. 61.

endroit. Il regardait je ne sais quoi, et il changeait seulement un petit coin. » Et Malraux poursuit : « Le bleu de la mer était devenu celui du ruisseau des *Lavandières*... Sa vision, c'était moins une façon de regarder la mer que la secrète élaboration d'un monde auquel appartenait cette profondeur de bleu qu'il reprenait à l'immensité [1]. » Mais, justement, pourquoi le bleu de la mer appartenait-il au monde de la peinture de Renoir? Comment pouvait-il lui enseigner quelque chose au sujet du ruisseau des *Lavandières*? C'est que chaque fragment du monde, et spécialement la mer, tantôt criblée de tourbillons, d'aigrettes et de rides, ou bien massive, épaisse et immobile en elle-même, déploie un nombre illimité de figures de l'être, montre une certaine façon qu'il a de répondre et de vibrer sous l'attaque du regard, qui évoque toutes sortes de variantes, et enfin enseigne, outre lui-même, une manière générale de parler. On peut peindre des femmes nues et un ruisseau d'eau douce en présence de la mer à Cassis, parce qu'on ne demande à la mer que la manière qu'elle a d'interpréter la substance liquide, de la manifester, de la composer avec elle-même pour lui faire dire ceci et cela, en somme, une typique des manifestations de l'eau. On peut faire de la peinture en regardant le monde parce que le style qui définira le peintre pour les autres, il lui semble le trouver dans les apparences mêmes (en tant, bien entendu, qu'elles sont apparences siennes).

Si, comme l'exprime encore Malraux, la peinture occidentale a si peu varié ses sujets, si, par

---

1. *La Création artistique*, p. 113.

exemple, de génération en génération et depuis Rembrandt jusqu'à Soutine, le bœuf écorché reparaît, c'est qu'il n'est pas nécessaire, pour atteindre à la peinture, d'explorer patiemment toutes les choses, qu'il n'est même pas mauvais, pour manifester un style, de traiter à nouveau un sujet déjà traité, et qu'enfin la peinture est un système d'équivalences et de significations qu'il est plus convaincant de faire affleurer sur un objet familier ou souvent peint que sur un objet inconnu, où elles risquent de s'enliser. « Un certain équilibre ou déséquilibre péremptoire de couleurs et de lignes bouleverse celui qui découvre que la porte entrouverte là est celle d'un autre monde [1]. » *Un autre monde* — entendons : le même monde que le peintre voit, et parlant son propre langage, mais libéré du poids sans nom qui le retient en arrière et le maintient dans l'équivoque. Comment le peintre ou le poète seraient-ils autre chose que leur rencontre avec le monde? De quoi parleraient-ils? De quoi même l'art abstrait parlet-il, sinon d'une certaine manière de nier ou de refuser le monde? L'austérité, la hantise des surfaces ou des formes géométriques ont encore une odeur de vie, même s'il s'agit d'une vie honteuse ou désespérée. La peinture réordonne le monde prosaïque et fait, si l'on veut, un holocauste d'objets comme la poésie fait brûler le langage ordinaire. Mais, quand il s'agit d'œuvres qu'on aime à revoir ou à relire, le désordre est toujours un autre ordre, un nouveau système d'équivalences exige *ce* bouleversement, non pas n'importe lequel et c'est au

1. *La Création artistique*, p. 142.

nom d'un rapport plus *vrai* entre les choses que leurs
liens ordinaires sont dénoués.

Un poète a, une fois pour toutes, reçu pour tâche
de traduire ces mots, cette voix, cet accent, dont
chaque chose ou chaque circonstance lui renvoie
l'écho. Il n'y a pas de changements dans le langage
ordinaire devant lequel il recule pour venir à bout
de sa tâche, mais il n'en propose aucun qui ne soit
motivé. Dostoïevski, écrivant le premier brouillon
de *L'Idiot*, fait de Muichkine l'assassin. Ensuite, ce
sera Rogojine. Mais la substitution n'est pas quelconque, elle est fondée sur le système d'équivalences
ou plutôt sur le principe de sélection et sur la règle
d'expression qui prescrit ce roman-là, destiné comme
il est à communiquer ceci et non cela. « Le personnage est remplacé par un autre, comme, dans un
tableau, une fenêtre, trop claire pour le mur qu'elle
troue, est remplacée par un râtelier de pipes [1]. » La
signification ordinaire de la fenêtre, du râtelier de
pipes, du mur est, non pas niée, puisque c'est toujours du monde qu'on parle si l'on veut être entendu,
mais du moins réintégrée à une signification plus
originaire, plus large, sur laquelle elle est prélevée.
L'aspect du mur, de la fenêtre, des pipes ne vaut
plus seulement pour indiquer, au-delà de lui-même,
des ustensiles à manier. Ou plutôt, — car la perception est toujours action, — l'action, ici, devient
praxis, c'est-à-dire qu'elle se refuse aux abstractions
de l'utile et n'entend pas sacrifier les moyens à la
fin, l'apparence à la réalité. Tout compte désormais,
et l'usage des objets moins que leur aptitude à

1. *La Création artistique*, p. 147.

composer ensemble, jusque dans leur texture intime,
un emblème valable du monde auquel nous sommes
confrontés.

Rien d'étonnant si cette vision sans œillères, cette
action sans parti-pris, décentrent et regroupent les
objets du monde ou les mots. Mais rien non plus
de plus fou que de croire qu'il suffit de briser le
langage pour écrire *Les Illuminations*. Malraux
remarque profondément des peintres modernes que,
« bien qu'aucun ne parlât de vérité, tous, devant
les œuvres de leurs adversaires, parlaient d'impos-
ture [1] ». Ils ne veulent plus parler de vérité tant que
le mot évoque une adéquation entre la chose et la
peinture. Mais ils ne refuseraient sans doute pas
de parler de vérité si l'on entend par là la cohérence
d'une peinture avec elle-même, la présence en elle
d'un principe unique qui prescrit à chaque élément
sa modulation. Les classiques, dont l'art allait bien
au-delà, vivaient du moins dans l'illusion repo-
sante d'une technique de la peinture qui permît
d'approcher le velours même, l'espace même... Les
modernes savent bien que nul spectacle au monde ne
s'impose absolument à la perception, et encore bien
moins une peinture, et que la zébrure impérieuse
du pinceau peut davantage pour nous faire posséder
du regard la laine ou la chair que la reconstitution
la plus patiente des apparences. Mais ce qu'ils ont
mis à la place d'une inspection de l'esprit qui décou-
vrirait la texture même des choses, ce n'est pas le
chaos, c'est la logique allusive du monde. Ils n'ont
pas moins que les classiques l'intention de signifier,

---

1. *La Monnaie de l'Absolu*, p. 125.

l'idée de quelque chose à dire, dont on peut approcher plus ou moins. Simplement l' « aller plus loin » de Van Gogh au moment où il peint *Les Corbeaux* n'indique plus quelque réalité vers laquelle il faudrait marcher, mais ce qu'il reste à faire pour exprimer davantage la rencontre et le conflit du regard avec les choses qui le sollicitent, du corps avec le monde qu'il habite, de celui qui a à être avec ce qui est. Si c'est là ce que l'art signifie, il est trop clair qu'il ne peut le faire en *ressemblant* aux choses ou aux êtres du monde. « Comme toujours en art, mentir pour être vrai », écrit Sartre avec raison. On dit que l'enregistrement exact de la conversation la plus brillante donne ensuite l'impression de l'indigence. Ici la vérité ment. La conversation exactement reproduite n'est plus ce qu'elle était quand nous la vivions : il y manque la présence de ceux qui parlaient, tout ce surplus de sens que donnent les gestes, les physionomies, que donne surtout l'évidence d'un événement qui a lieu, d'une invention et d'une improvisation continuées. La conversation n'existe plus, elle ne pousse plus de tous côtés des ramifications, elle *est*, aplatie dans l'unique dimension du sonore. Au lieu de nous convoquer tout entiers, elle ne nous touche plus que légèrement, par l'oreille. C'est dire que pour nous satisfaire comme elle peut le faire, l'œuvre d'art qui, elle aussi, ne s'adresse d'ordinaire qu'à un de nos sens, et qui en tout cas ne nous donne jamais le genre de présence qui appartient au vécu, doit avoir un pouvoir qui fasse d'elle, non pas de l'existence refroidie, mais de l'existence sublimée, et plus vraie que la vérité. La peinture moderne, comme en général la pensée moderne, nous oblige absolument à comprendre ce que c'est qu'une vérité qui ne ressemble pas aux choses, qui soit sans modèle extérieur, sans instruments d'expression prédestinés, et qui soit cependant vérité.

Mais enfin, demandera-t-on peut-être, si vraiment la peinture était un langage, il y aurait moyen de donner dans le langage articulé un équivalent de ce qu'elle exprime à sa manière. Que dit-elle donc?

Si l'on remet, comme nous essayons de le faire, le peintre au contact de son monde, peut-être trouvera-t-on moins énigmatique la métamorphose qui à travers lui transforme le monde en peinture, celle qui, depuis ses débuts jusqu'à sa maturité, le change en lui-même, et celle enfin qui, à chaque génération, ranime certaines œuvres du passé et leur arrache un écho qu'elles n'avaient jamais rendu. Quand un écrivain regarde les peintres, il est un peu dans la situation où se trouvent les amateurs de littérature à l'égard de l'écrivain lui-même. Quoi, pensent-ils, voilà donc ce que fait de son temps l'écrivain que j'estime tant? Voilà la maison qu'il habite? Voilà la femme dont il partage la vie? Voilà les petits soucis dont il est rempli? Nous pensons l'écrivain à partir de l'œuvre, — comme nous pensons à une femme éloignée à partir des circonstances, des mots, des attitudes où elle s'est exprimée le plus purement. Quand nous retrouvons la femme aimée ou quand nous faisons la connaissance de l'écrivain, nous sommes sottement déçus de ne pas retrouver en chaque instant de sa présence cette essence de diamant, cette parole sans bavures, que nous avons pris l'habitude de désigner par son nom. Mais ce n'est là

que prestige (quelquefois même envie, haine secrète).
Le second degré de la maturité est de comprendre
qu'il n'y a pas de surhomme, aucun homme qui
n'ait à vivre une vie d'homme, et que le secret
de la femme aimée, de l'écrivain et du peintre n'est
pas dans quelque au-delà de sa vie empirique, mais
si étroitement mêlé à ses moindres expériences, si
pudiquement confondu avec sa perception du monde,
qu'il ne saurait être question de le rencontrer à
part, face à face. En lisant la *Psychologie de l'art,*
on est quelquefois surpris de voir que Malraux qui,
comme écrivain, n'a rien à envier à personne, et
sait assurément tout cela, l'oublie quand il s'agit
des peintres, leur voue le même genre d'admiration
qu'il n'accepterait pas de ses lecteurs, et les transforme en dieux. « Quel génie n'est fasciné par cette
extrémité de la peinture, par cet appel devant lequel
le temps vacille? C'est l'instant de la possession du
monde. Que la peinture ne puisse aller plus loin,
et le vieux Hals devient dieu [1]. » Cela, c'est le peintre
vu par autrui. Pour lui-même, il n'est rien de pareil.
Il est un homme au travail, qui retrouve chaque
matin, dans la configuration que les choses reprennent
sous ses yeux, le même appel, la même exigence,
la même incitation impérieuse à laquelle il n'a jamais
fini de répondre. Son œuvre ne s'achève pas : elle
est toujours au futur. Un jour, la vie se dérobe,
le corps se défalque. D'autre fois et plus tristement,
c'est l'interrogation éparse à travers les spectacles
du monde qui cesse de se prononcer. Alors le peintre
n'est plus ou il est peintre honoraire. Mais tant

1. *La Création artistique,* p. 150.

qu'il peint, c'est toujours ouvert sur les choses ou,
s'il est ou devient aveugle, sur cet individu irrécusable qui s'est donné à lui, au premier jour de sa
vie, comme ce qu'il fallait manifester. Et c'est pourquoi son travail obscur pour lui-même est pourtant
guidé et orienté. Il n'en voit que la trame, et les
autres seuls peuvent en voir l'endroit, parce que
ce qui lui est implicitement donné dans chaque
minute de son expérience ne peut avoir sous ses
yeux le relief et la configuration imprévisible de
la vie d'autrui. Mais ce cheminement d'aveugle est
cependant jalonné par des indices : jamais il ne
crée dans le vide, ex nihilo. Il ne s'agit jamais que
de pousser plus loin le même sillon déjà ébauché
dans le monde comme il le voit, dans ses œuvres
précédentes ou dans celles du passé, de reprendre et
de généraliser cet accent qui avait paru dans le
coin d'un tableau antérieur, de convertir en institution une coutume déjà installée sans que le peintre
lui-même puisse jamais dire, parce que cela n'a
pas de sens, ce qui est de lui et ce qui est des choses,
ce qui était dans ses précédents tableaux et ce
qu'il y ajoute, ce qu'il a pris à ses prédécesseurs
et ce qui est sien. La triple reprise par laquelle
il continue en dépassant, il conserve en détruisant,
il interprète en déformant, il infuse un sens nouveau
à ce qui pourtant appelait et anticipait ce sens
n'est pas seulement métamorphose au sens des contes
de fées, miracle ou magie, violence ou agression,
création absolue dans une solitude absolue, c'est
aussi une réponse à ce que le monde, le passé, les
œuvres antérieures lui demandaient, accomplissement, fraternité. Husserl a employé le beau mot

de *Stiftung* pour désigner d'abord cette fécondité indéfinie de chaque moment du temps, qui justement parce qu'il est singulier et qu'il passe, ne pourra jamais cesser d'avoir été ou d'être universellement, — et, plus encore, la fécondité, dérivée de celle-là, des opérations de la culture qui ouvrent une tradition, continuent de valoir après leur apparition historique, et exigent au-delà d'elles-mêmes des opérations autres et les mêmes. C'est ainsi que le monde dès qu'il l'a vu, ses premières tentatives et tout le passé de la peinture, créent pour le peintre une *tradition, c'est-à-dire* dit Husserl, l'*oubli des origines*, le devoir de recommencer autrement et de donner au passé, non pas une survie qui est la forme hypocrite de l'oubli, mais l'efficacité de la reprise ou de la « répétition » qui est la forme noble de la mémoire.

Malraux insiste sur ce qu'il y a de dérisoire et de trompeur dans la comédie de l'esprit : ces contemporains ennemis, Delacroix et Ingres, en qui la postérité reconnaîtra le même temps, ces peintres qui se veulent classiques et sont néo-classiques, c'est-à-dire le contraire, ces styles qui échappent au regard de leur créateur et ne deviennent visibles que quand le Musée rassemble les œuvres dispersées à travers la terre, ou quand la photographie agrandit les miniatures, transforme par ses cadrages un morceau du tableau, transforme en tableaux les vitraux, les tapis et les monnaies, et donne à la peinture une conscience d'elle-même qui est toujours rétrospective. « ... Comme si un imaginaire esprit de l'art poussait de miniature en tableau, de fresque en vitrail, une même conquête, et soudain l'abandonnait pour une autre, parallèle ou soudain opposée, comme si un torrent souterrain d'histoire unissait en les entraînant toutes ces œuvres éparses [...]. Un style connu dans son évolution et ses métamorphoses devient moins une idée que l'illusion d'une fatalité vivante. La reproduction, et elle seule, a fait entrer dans l'art ces Sur-artistes imaginaires qui ont une confuse naissance, une vie, des conquêtes, des concessions au goût de la richesse ou de la séduction, une agonie et une résurrection, et qui s'appellent des styles [1]. » Si l'expression est créatrice à l'égard de ce qu'elle métamorphose *, et *justement si elle le dépasse toujours* en le faisant entrer dans une configuration où il change de sens, cela était déjà vrai des actes d'expression antérieurs, et même en quelque mesure de notre perception du monde avant la peinture, puisqu'elle projette dans le monde la signature d'une civilisation, la trace d'une élaboration humaine. Nos actes d'expression dépassent leurs

---

1. *Le Musée imaginaire*, p. 52.

* *En marge : 1)* La métamorphose (celle-là ou, en général, celle du passé par le présent, du monde par la peinture, du passé du peintre par son présent) n'est pourtant pas mascarade. Elle n'est possible que parce que le donné *était peinture*, parce qu'il y a un Logos du monde sensible (et du monde social et de l'histoire humaine). — L'illusion analytique de Malraux et le phénomène de *monde culturel*. Le seul mystère est là : c'est celui du *Nachvollzug*. Il repose sur le mystère du monde naturel et de son Logos. L'homme dépasse le monde sans s'en apercevoir ou comme naturellement. — Historicité « torrent souterrain » et historicité intérieure de l'homme à l'homme et de l'homme au monde. Historicité profane ou prosaïque et sacrée. *2)* Tout cela, qui est vrai de peinture, l'est aussi de langage. (Descartes, Stendhal, notre unité avec eux.) Contre l'idée d'une *action* du langage qui [soit?] vraiment nôtre. *3)* Réserve à faire (question dernière à renvoyer à la logique) : la sédimentation de l'art retombe à mesure qu'elle se fait. A cela près, nous devons vraiment mettre en suspens le langage « signifiant », pour laisser paraître le langage « pur », et le langage est peinture comme la peinture est langage. Il nous faut nous défaire de l'illusion d'avoir possédé en disant.

données de départ vers un autre art. Mais ces données elles-mêmes dépassaient elles aussi les actes d'expression antérieurs vers un avenir que nous sommes, et en ce sens appelaient la métamorphose même que nous leur imposons. On ne peut pas plus faire l'inventaire d'une peinture — dire ce qui y est et ce qui n'y est pas — que d'un vocabulaire, et pour la même raison : elle n'est pas une somme de signes, elle est un nouvel organe de la culture humaine qui rend possible, non pas un nombre fini de mouvements, mais un type général de conduite, et qui ouvre un horizon d'investigations. Malraux le dit : la métamorphose par laquelle nous retrouvons dans les classiques, qui étaient convaincus d'explorer une réalité, la peinture au sens moderne de création, elle n'est pas fortuite : les classiques étaient déjà peintres au sens moderne aussi. Quand la pensée athée fait revivre les œuvres qui se croyaient au service d'un sacré ou d'un absolu, sans pouvoir partager l'expérience religieuse à laquelle elles étaient liées, il n'y a pas là de mascarade : elle les rend à elles-mêmes, elle les confronte avec l'interrogation d'où elles sont nées. Puisque nous trouvons à reprendre dans les arts qui, historiquement, sont liés à une expérience très étrangère à la nôtre, c'est tout de même qu'ils ont quelque chose à nous dire, c'est que leurs artistes, croyant continuer simplement les terreurs primitives ou celles de l'Asie et de l'Égypte, inauguraient secrètement une autre histoire qui est encore la nôtre, et qui nous les rend présents tandis que les empires, les tribus, les croyances, auxquels ils pensaient *appartenir* ont depuis longtemps disparu. Si un plan de Georges de La Tour,

un fragment d'un tableau de   nous font
penser à la peinture du xixe siècle, ce n'est pas
certes que La Tour fût   ni Manet, mais
c'est tout de même que La Tour et   étaient
peintres dans le même sens que Manet, c'est qu'ils
appartenaient au même univers *. Malraux montre
avec profondeur que, ce qui fait pour nous « un
Vermeer » ce n'est pas que la toile peinte un jour
soit tombée des mains de l'homme Vermeer, c'est
qu'elle réalise la « structure Vermeer », ou qu'elle
parle le langage Vermeer, c'est-à-dire qu'elle observe
le système d'équivalences particulier qui fait que
tous les moments du tableau, comme cent aiguilles
sur cent cadrans, indiquent la même et irremplaçable
déviation. Même si Vermeer vieilli avait peint de
pièces et de morceaux un tableau sans cohérence,
ce ne serait pas « un vrai Vermeer ». Et si au contraire
le faussaire réussissait à reprendre non seulement
l'écriture, mais le style même des grands Vermeer,
il ne serait plus exactement un faussaire. Il serait
l'un de ces peintres qui travaillaient dans l'atelier
des classiques et peignaient pour eux **. Il est
vrai que cela n'est pas possible : pour être capable
de répéter le style même de Vermeer après des
siècles d'autre peinture, et quand le problème même
de la peinture a changé de sens, il faudrait que
le faussaire fût peintre, et alors il ne ferait pas
de « faux Vermeer », il ferait, entre deux tableaux
originaux, une « étude d'après Vermeer » ou encore
un « hommage à Vermeer » où il mettrait du sien.

---

* *Les blancs sont dans le texte.*
** *En marge :* quasi platonisme.

Reste que, ce qui le dénonce comme faussaire et le rend faussaire, ce n'est pas que ses tableaux ressemblent à ceux de Vermeer, c'est qu'ils n'y ressemblent pas assez. Que le tableau soit ou non sorti des mains de l'individu Vermeer qui habitait un organisme périssable, l'histoire de la peinture ne peut pas toujours le savoir, ce n'est pas là ce qui distingue pour nous le vrai Vermeer et le faux, *ce n'est pas même ce qui les distingue en vérité.* Vermeer, parce qu'il était un grand peintre, est devenu quelque chose comme une institution ou une entité, et de même que l'histoire a pour rôle de découvrir le sens du Parlement sous l'Ancien Régime ou le sens de la Révolution française, de même qu'elle doit, pour le faire, mettre en perspective, désigner ceci comme essentiel et cela comme accessoire ou contingent dans le Parlement ou la Révolution, de même l'histoire de la peinture a charge de définir à travers la figure empirique des toiles dites de Vermeer, une essence, une structure, un style, un sens de Vermeer contre lequel ne peuvent prévaloir, s'il en est, les détails discordants arrachés à son pinceau par la fatigue, la circonstance ou la coutume. Le fait que le tableau ait été secrètement fabriqué par un de nos contemporains n'intervient que secondairement, et parce qu'il empêche le tableau de rejoindre vraiment le style de Vermeer. Il ne faut pas dire seulement que, faute de renseignements, les historiens de la peinture ne peuvent juger de l'authenticité que par l'examen du tableau lui-même. Cela n'est pas une imperfection de notre connaissance et de notre histoire : c'est l'histoire même, quand elle en vient, comme c'est sa tâche, à comprendre les faits. Même en droit, un catalogue complet de l'œuvre d'un maître n'est pas indispensable et n'est pas suffisant pour savoir ce qui est vraiment *de lui*. Car il n'est plus rien, devant l'histoire, qu'une certaine parole dite dans le dialogue de la peinture, et ce qu'il a pu dire au hasard n'entre pas en compte, comme on doit lui attribuer, si la chose est possible, ce que d'autres ont dit exactement comme il l'aurait dit. Non pas contre l'histoire empirique, qui n'est attentive qu'aux événements, et aveugle pour les contenus, mais tout de même au-delà d'elle, une autre histoire s'écrit, qui distingue ce que l'événement confondait, mais aussi rapproche ce qu'il séparait, qui dessine la courbe des styles, leurs mutations, leurs métamorphoses surprenantes, mais aussi et en même temps leur fraternité dans une seule peinture.

Les premiers dessins aux murs des cavernes définissaient un champ de recherches illimité, posaient le monde comme à peindre ou à dessiner, appelaient un avenir indéfini de la peinture, et c'est ce qui nous touche en eux, c'est ce qui fait qu'ils nous parlent et que nous leur répondons par des métamorphoses où ils collaborent avec nous. Il y a deux historicités, l'une, ironique ou même dérisoire, pleine de contresens, où chaque temps lutte contre les autres comme contre des étrangers en leur imposant ses soucis, ses perspectives. Elle est oubli plutôt que mémoire, elle est morcellement, ignorance, extériorité. Mais l'autre, sans laquelle la première serait impossible, est l'*intérêt* qui nous attache à ce qui n'est pas nous, la vie que le passé par un échange continué trouve en nous et nous apporte, c'est surtout la vie qu'il continue de mener dans chaque créateur

qui ranime, relance et reprend à chaque tableau
l'entreprise entière du passé.

A cet égard la fonction du Musée, comme celle de
la Bibliothèque, n'est pas uniquement bienfaisante :
il nous donne bien le moyen de voir ensemble, comme
des œuvres, comme moments d'un seul effort, des
productions qui gisaient à travers le monde, enlisées
dans les cultes ou les civilisations dont elles voulaient être l'ornement. En ce sens le Musée fonde
notre conscience de la peinture comme peinture.
Mais il vaut mieux la chercher dans chaque peintre
qui travaille, car elle y est à l'état pur, tandis que
le Musée l'associe à des émotions de moins bonne
qualité. Il faudrait aller au Musée comme y vont les
peintres, dans la joie du dialogue, et non pas comme
nous y allons, nous autres amateurs, avec une révé-
rence qui, en fin de compte, n'est pas de bon aloi.
Le Musée nous donne mauvaise conscience, une
conscience de voleurs. L'idée nous vient de temps
à autre que ces œuvres n'ont tout de même pas été
faites pour *finir* entre ces murs sévères, pour le plaisir
des promeneurs du Dimanche, des enfants du Jeudi
ou des intellectuels du Lundi. Nous sentons vaguement qu'il y a déperdition et que ce recueillement
de vieilles filles, ce silence de nécropole, ce respect
de pygmées n'est pas le milieu vrai de l'art, que tant
d'efforts, tant de joies et de peines, tant de colères,
tant de travaux n'étaient pas destinés à refléter un
jour la lumière triste du musée du Louvre... Le
Musée transforme les œuvres en œuvres, il fait seul
apparaître les styles, mais il ajoute aussi, à leur vraie
valeur, un faux prestige, en les détachant des hasards
au milieu desquels ils sont nés, en nous faisant croire

que des Sur-artistes, des « fatalités » guidaient la
main des artistes depuis toujours. Alors que le style
en chaque peintre vivait comme la pulsation la plus
secrète de son cœur, alors que chacun d'eux, en tant
qu'il est parole et style, se retrouvait dans toutes
les autres paroles et tous les autres styles et ressen-
tait leur effort comme parent du leur *, le Musée
convertit cette historicité secrète, pudique, non délibérée, et comme involontaire, en histoire officielle et
pompeuse : l'imminence d'une régression que tel
peintre ne soupçonnait pas donne à notre amitié
pour lui une nuance pathétique qui lui était bien
étrangère. Pour lui, il a travaillé allègrement, toute
une vie d'homme, sans penser que ce fût sur un
volcan, et nous voyons son œuvre comme des fleurs
au bord d'un précipice. Le Musée rend les peintres
aussi mystérieux pour nous que les pieuvres ou les
langoustes. Ces œuvres qui sont nées dans la chaleur
d'une volonté, il les transforme en prodiges d'un
autre monde, et le souffle qui les portait n'est plus,
dans la lumière pensive du musée, sous les vitrines
ou les glaces, qu'une faible palpitation à leur surface... Le Musée tue la véhémence de la peinture
comme la Bibliothèque, disait Sartre, transforme en
messages les écrits qui étaient les gestes d'un homme...
Il est l'historicité de mort. Mais il y a une historicité
de vie, dont il n'est que l'image déchue : c'est celle
qui habite le peintre au travail, quand il noue d'un
seul geste la tradition qu'il reprend et celle qu'il
fonde, c'est celle qui, sans qu'il quitte sa place, son
temps, son travail béni et maudit, le joint d'un seul
coup à tout ce qui s'est jamais peint dans le monde.

* *Sic.*

La vraie histoire de la peinture est, non pas celle qui met la peinture au passé et invoque les Sur-artistes et les fatalités. Ce serait celle qui la met toute au présent, habite les artistes et réintègre le peintre à la fraternité des peintres.

Des peintres seulement? Même si l'hôtelier de Cassis ne comprend pas la transmutation que Renoir opère du bleu de la Méditerranée à l'eau des *Lavandières*, il a voulu voir travailler Renoir, cela *l'intéresse* lui aussi, et rien n'empêche après tout qu'il retrouve ce chemin que les habitants des cavernes ont un jour ouvert sans tradition, et que le monde redevienne pour lui aussi monde à peindre. Renoir aurait eu bien tort de demander à l'hôtelier ce qu'il aimait, et de tâcher de lui plaire. En ce sens, il ne peignait pas pour l'hôtelier. Il définissait lui-même, par sa peinture, les conditions sous lesquelles il entendait être approuvé. Mais enfin il peignait pour qu'un tableau fût là, *visible*. C'est au monde, à l'eau de la mer, qu'il redemandait le secret de l'eau des *Lavandières* et le chemin de l'une à l'autre, il l'ouvrait pour ceux qui, avec lui, étaient pris dans le monde. Comme dit Jules Vuillemin, il n'était pas question de parler leur langage, mais de les exprimer en s'exprimant. A l'égard de sa propre vie, le sentiment du peintre est du même ordre : son style n'est pas le style de sa vie, mais il la tire, elle aussi, vers l'expression. On comprend que Malraux n'aime pas les *explications* psychanalytiques en peinture. L'explication ne va jamais bien loin : même si le manteau de sainte Anne est un vautour, même si l'on admettait que, pendant que Vinci le peignait comme manteau, un second Vinci dans Vinci, la tête penchée, le déchif-

frait comme vautour, à la façon d'un lecteur de devinettes (après tout ce n'est pas impossible : il y a,
dans la vie de Vinci, un goût de la mystification
effrayante qui pouvait bien l'amener à enchâsser ses
monstres dans une œuvre d'art) — personne ne par-
lerait de ce vautour si le tableau de Vinci n'avait un
autre sens. L'*explication* ne rend compte que des
détails, tout au plus des matériaux d'une œuvre.
Même si le peintre aime manier les couleurs, le sculp-
teur la glaise parce qu'il est un anal, cela ne nous dit
toujours pas ce que c'est que peindre ou sculpter [1].
Mais l'attitude opposée, la *dévotion* des artistes qui
fait qu'on ne veut rien savoir de leur vie, qu'on met
leur œuvre comme un miracle hors de l'histoire privée
ou publique, et hors du monde, elle nous masque
aussi leur vraie grandeur. Car si Léonard est autre
chose que la victime d'une enfance malheureuse, ce
n'est pas qu'il ait un pied dans l'au-delà, c'est que,
de tout ce qu'il avait vécu, il a réussi à faire un
moyen d'interpréter le monde, — ce n'est pas qu'il
n'eût pas de corps ou de vision, c'est que sa situation
corporelle ou vitale a été constituée par lui en langage. Quand on passe de la dimension des événements à celle de l'expression, on change d'ordre mais
on ne change pas de monde : les *mêmes* données qui
étaient subies deviennent système signifiant. Creu-
sées de l'intérieur, privées enfin de cet impact sur
nous qui les rendait douloureuses, devenues trans-
parentes ou même lumineuses, et capables d'éclairer
non seulement les aspects du monde qui leur ressemblent, mais encore les autres, elles ont beau être

---

1. Aussi Freud n'a-t-il jamais dit qu'il expliquait Vinci par le vautour,
et a-t-il dit à peu près que l'analyse s'arrêtait où commence la peinture.

métamorphosées, elles ne cessent pas d'être là. La connaissance qu'on en prend ne remplacera jamais l'expérience de l'œuvre elle-même, mais elle aide à mesurer la création esthétique. Ici encore la métamorphose dépasse, mais en conservant, et c'est de chaque chose vécue (quelquefois minime) que surgit la même inlassable demande : la demande d'être exprimé.

Si donc nous nous plaçons *dans le peintre*, au moment où ce qui lui a été donné à vivre de destinée corporelle, d'aventures personnelles ou d'événements historiques s'organise dans l'acte de peindre, autour de quelques lignes de force qui indiquent son rapport fondamental au monde, il nous faut reconnaître que son œuvre, si elle n'en est jamais l'effet, est toujours une réponse à ces données et que les paysages, les Écoles, les maîtresses, les créanciers, et même les polices, les révolutions qui peuvent confisquer le peintre et le perdre pour la peinture, sont aussi le pain qu'il consacrera, l'aliment dont sa peinture se nourrira. Ainsi le peintre cesse de s'isoler dans un laboratoire secret. Vivre dans la peinture, c'est encore respirer ce monde, et il nous faut comprendre que le peintre et l'homme vivent sur le terrain de la culture aussi « naturellement » que s'il était donné par la nature.

Il nous faut concevoir sur le mode du « naturel » les rapports même que le peintre entretient avec l'histoire de la peinture. Méditant sur les miniatures ou sur les monnaies où l'agrandissement photographique révèle miraculeusement le même style qui est manifeste dans les œuvres de grande taille, et sur ces œuvres de l'art des Steppes déterrées au-delà des limites de l'Europe, loin de toute influence, et où les modernes sont stupéfaits de rencontrer le même style qu'une peinture consciente a inventé ou réinventé ailleurs, Malraux n'évite pas l'idée d'un « torrent souterrain » d'Histoire qui réunit les peintures les plus éloignées, d'une Peinture qui travaille derrière le dos des peintres, d'une Raison dans l'histoire dont ils seraient les instruments. Ces monstres hégéliens sont l'antithèse et le complément de son individualisme : quand on a enfermé l'art au plus secret de l'individu, la convergence des œuvres indépendantes ne peut s'expliquer que par quelque destin qui les domine. Mais quand au contraire on remet le peintre en présence du monde, comme nous essayons de le faire, que deviennent la Peinture en soi ou l'Esprit de la Peinture?

Partons du fait le plus simple — sur lequel d'ailleurs nous avons déjà fourni quelques éclaircissements. Nous qui examinons à la loupe la médaille ou la miniature, nous nous émerveillons d'y retrouver enfoui le même style que des artistes ont délibérément imposé à des œuvres de grande échelle. Mais, comme nous le disions plus haut, c'est simplement que la main porte partout son style, qui est indivis dans le geste et n'a pas besoin, pour marquer de sa zébrure la matière, de suivre point par point le chemin infini du burin. Notre écriture se reconnaît, que nous tracions les lettres sur le papier, avec trois doigts de la main, ou à la craie, sur le tableau, avec tout notre bras — parce que notre corps ne la détient pas comme pouvoir de circonscrire un certain espace absolu, dans des conditions données une fois pour toutes et par le moyen de certains muscles à l'exclusion des autres, mais comme une puissance générale

de formuler un type constant [de gestes?] moyennant
toutes les transpositions qui pourraient être néces-
saires. Ou plutôt, il n'y a même pas transposition :
simplement nous n'écrivons pas dans l'espace en soi,
avec une main en soi, un corps en soi auquel chaque
nouvelle situation poserait des problèmes d'adapta-
tion très compliqués. Nous écrivons dans l'espace
perçu, où les résultats de même forme sont d'emblée
analogues, et où les différences d'échelle sont immédiatement surmontées, comme les mélodies de même
forme exécutées à différentes hauteurs y sont immédiatement identifiées. Et la main avec laquelle nous
écrivons est une main-esprit, qui possède, avec la
formule d'un mouvement, comme un concept naturel
de tous les cas particuliers où il peut avoir à se
réaliser. Tout le miracle d'un style déjà présent dans
les éléments invisibles de la pièce ou de la miniature,
dans le monde inhumain que nous révèlent le ralenti,
le microscope ou la loupe, revient donc à ceci que,
travaillant dans le monde humain des choses perçues,
l'artiste met sa marque jusque dans le monde inhumain que nous révèlent les appareils d'optique, comme
le nageur survole à son insu tout un univers enseveli
que la lunette sous-marine lui révèle à sa grande
frayeur, ou comme Achille effectue dans la simpli-
cité d'un pas une sommation infinie d'espaces et
d'instants. Et certes c'est là un grand miracle, dont
le mot d'*homme* ne doit pas nous masquer l'étrangeté.
Du moins pouvons-nous voir ici que ce miracle est
habituel, qu'il nous est naturel, qu'il commence avec
notre existence incarnée et qu'il n'y a pas lieu d'en
chercher l'explication dans quelque Esprit du Monde
qui opérerait en nous sans nous, et penserait à notre

place en deçà du monde perçu, à l'échelle micros-
copique : ici l'esprit du monde, c'est nous, dès que
nous savons *nous mouvoir*, dès que nous savons *regarder*. Ces actes simples enferment déjà tout le mystère
de l'action expressive. Car je meus mon corps sans
même savoir quels muscles, quels trajets nerveux
doivent intervenir, et où il faudrait chercher les
instruments de cette action. Comme l'artiste fait
rayonner son style jusqu'aux éléments invisibles de
la matière qu'il travaille. Je veux aller là-bas, et
m'y voici, sans que je sois entré dans le secret
inhumain de la machinerie corporelle, sans que je
l'aie ajustée aux données objectives du problème, à
l'emplacement du but défini par rapport à quelque
système de coordonnées. Je regarde où est le but, je
suis aspiré par lui, et toute la machine du corps fait
ce qu'il y a à faire pour que je m'y rende. Tout se
passe dans le monde humain de la perception et du
geste, mais mon corps « géographique » ou « physique »
obéit aux exigences de ce petit drame, qui ne cesse
de produire en lui mille miracles naturels. Mon regard
vers le but a déjà lui aussi ses prodiges : car, lui
aussi, il s'installe avec autorité dans l'être et s'y
conduit comme en pays conquis. Ce n'est pas l'objet
qui agit sur mes yeux et obtient d'eux les mouvements d'accommodation et de convergence : on a pu
montrer qu'au contraire, je ne verrais jamais rien
nettement et il n'y aurait pas d'objet pour moi si je
ne disposais mes yeux *de manière à* rendre possible
la vision de l'unique objet. Pour comble de paradoxe, on ne peut pas non plus dire ici que l'esprit
relaye le corps et anticipe ce que nous allons voir :
non, ce sont nos regards eux-mêmes, c'est leur syner-

gie, c'est leur exploration ou leur prospection qui
mettent au point l'objet imminent, et jamais les
corrections ne seraient assez rapides et assez précises si elles devaient s'appuyer sur un véritable
calcul des effets. Il faut donc reconnaître sous le
nom de regard, de main et en général de corps un
système de systèmes voué à l'inspection d'un monde,
capable d'enjamber les distances, de percer l'avenir
perceptif, de dessiner dans la platitude inconcevable
de l'être des creux et des reliefs, des distances et
des écarts, un sens... Le mouvement de l'artiste tra-
çant son arabesque dans la matière infinie explicite
et prolonge le miracle de la locomotion dirigée ou
des gestes de prise. Non seulement le corps se voue
à un monde dont il porte en lui le schéma : il le
possède à distance plutôt qu'il n'en est possédé. A
plus forte raison, le geste d'expression qui se charge
lui-même de dessiner et de faire paraître au dehors
ce qu'il vise accomplit-il une vraie récupération du
monde et le refait-il pour le connaître. Mais déjà,
avec notre premier geste orienté, les rapports infinis
de *quelqu'un* avec sa *situation* avaient envahi notre
médiocre planète et ouvert à notre conduite un
champ indéfini. Toute perception, et toute action
qui la suppose, bref tout usage de notre corps est
déjà *expression primordiale*, c'est-à-dire non pas le
travail second et dérivé qui substitue à l'exprimé
des signes donnés par ailleurs avec leur sens et leur
règle d'emploi, mais l'opération qui d'abord constitue
les signes en signes, fait habiter en eux l'exprimé, non
pas sous la condition de quelque convention préalable, mais par l'éloquence de leur arrangement même
et de leur configuration, implante un sens dans ce

qui n'en avait pas, et qui donc, loin de s'épuiser dans l'instant où elle a lieu, ouvre un champ, inaugure un ordre, fonde une institution ou une tradition...

Or, si la présence du style dans des miniatures que personne n'avait jamais vues, et en un sens jamais faites, se confond avec le mystère de notre corporéité et n'appelle aucune explication occulte, il nous semble qu'on peut en dire autant de ces convergences singulières qui font que d'un bout à l'autre du monde des artistes qui s'ignoraient produisent des œuvres qui *se ressemblent*. Nous demandons une cause qui explique ces ressemblances, et nous parlons d'une Raison dans l'Histoire ou d'un Esprit de la Peinture ou d'un Sur-artiste qui mène les artistes à leur insu. Mais d'abord c'est mal poser le problème que de parler de *ressemblances* : elles sont après tout peu de chose en regard des innombrables différences et de la variété des cultures, de sorte que, quand on rencontre des œuvres qui se ressemblent d'un siècle à l'autre ou d'un continent à l'autre, la probabilité d'une réinvention sans guide et sans modèle est suffisante pour rendre compte de cette coïncidence. Le vrai problème est de comprendre non pas pourquoi des œuvres se ressemblent, mais pourquoi des cultures si différentes s'engagent dans la même recherche, se proposent la même tâche (sur le chemin de laquelle elles rencontreront, à l'occasion, les mêmes modes d'expression), pourquoi ce que produit une culture a toujours un sens pour les autres, même si ce n'est pas son sens d'origine, pourquoi nous nous donnons la peine de métamorphoser en art les fétiches, enfin pourquoi il y a une peinture ou un univers de la peinture. Mais cela ne fait problème que si l'on a commencé par se placer dans le monde géographique ou physique, et par y placer les œuvres comme autant d'événements séparés, dont la ressemblance ou seulement l'apparentement est alors improbable, et exige un principe d'explication. Nous proposons au contraire de reconnaître l'ordre de la culture ou du sens comme un ordre original de l'avènement qui ne doit pas être dérivé de celui, s'il existe, des purs événements, ni traité comme le simple effet de certaines rencontres peu probables. Si l'on admet que le propre du geste humain est de signifier au-delà de sa simple existence de fait, d'inaugurer un sens, il en résulte que tout geste est *comparable* à tout autre, qu'ils relèvent tous d'une seule syntaxe, que chacun d'eux est un commencement, comporte une suite ou des recommencements en tant qu'il n'est pas, comme l'événement, opaque et fermé sur lui-même, et une fois pour toutes révolu, qu'il vaut au-delà de sa simple présence de fait, et qu'en cela il est par avance allié ou complice de toutes les autres tentatives d'expression. Davantage : non seulement il est compossible avec elles, et s'organise avec elles dans un monde de la peinture, mais encore, si la trace en demeure et si l'héritage est transmis, il est essentiel au geste pictural une fois fait de modifier la situation de la tentative universelle où nous sommes tous engagés. Car l'œuvre une fois faite constitue de nouveaux signes en signes, rend donc maniables de nouvelles significations, accroît la culture comme un organe ajouté pourrait accroître les pouvoirs de notre corps, et ouvre donc un nouvel horizon de recherche. Non seulement donc tous les gestes qui font exister la culture sont entre eux dans une *affinité* de principe qui fait d'eux les moments d'une seule tâche, mais encore l'un exige l'autre dans sa différence puisque deux d'entre eux ne peuvent être identiques qu'à condition de s'ignorer. Et de même que l'on ne s'étonne plus de retrouver la signature de l'artiste là où son regard ne pouvait atteindre, quand on a admis que le corps humain s'exprime lui-même dans tout ce qu'il fait, de même les convergences et les correspondances entre des œuvres de toute origine, hors de toute influence expresse dans l'histoire de l'art, ne surprennent pas quand on s'est installé dans l'ordre de la culture considéré comme un champ unique. Nous ne voulons pas dire ici que le corps humain en fournisse une explication * et que des hommes qui s'ignoraient et vivaient à d'immenses distances dans le temps et dans l'espace reprennent le même geste parce que leur corps est le même : car justement le propre du corps humain est de ne pas comporter de nature.

Certes le champ de recherches inauguré par une œuvre peut être abandonné si l'œuvre est perdue, brûlée ou oubliée. L'avènement ne dispense pas de l'événement; il n'y a pas, au-dessus de celle des événements, une seconde causalité qui ferait du monde de la peinture un autre monde suprasensible, avec ses lois propres, comme le monde de la Grâce dont parlait Malebranche. La création

---

* *En marge :* Et ce n'est pas non plus l'esprit qui explique par sa permanence. Le vrai problème n'est pas celui des ressemblances, mais de la possibilité de *métamorphose*, de reprise. Les ressemblances sont l'exception. Le propre de la culture est de ne jamais commencer et de ne pas finir dans l'instant.

culturelle est sans efficace si elle ne trouve un
véhicule dans les circonstances extérieures, elle ne
peut rien contre elles. Mais ce qui est vrai, c'est
que, pour peu que l'histoire s'y prête, l'œuvre conser-
vée et transmise développe dans ses héritiers des
conséquences sans proportion avec ce qu'elle est
comme morceau de toile peinte, et une histoire
unique de la culture se ressoude par-dessus les inter-
ruptions ou les régressions parce que dès le début
l'œuvre initiale signifiait au-delà de son existence
empirique.

Le difficile et l'essentiel est ici de comprendre
qu'en posant un univers du sens ou un champ de
significations distinct de l'ordre empirique des événements, nous ne posons pas une éternité, un Esprit
de la Peinture qui se posséderait dans l'envers du
monde et s'y manifesterait peu à peu... L'ordre
ou le champ de significations qui fait l'unité de
la peinture et ouvre par avance chaque œuvre sur
un avenir de recherches est comparable à celui
que le corps inaugure dans son rapport avec le
monde et qui fait participer chaque moment de
son geste au style du tout *. Le corps appose son
monogramme à tout ce qu'il fait; par-delà la diversité
de ses parties qui le rend fragile et vulnérable, il
est capable de se rassembler en un geste qui domine
leur dispersion. De la même manière, par-delà les
distances de l'espace et du temps, il y a une unité
du style humain qui rassemble les gestes de tous

---

* *En marge :* L'ordre des signifiants est comparable à celui du corps.
Les actes de signification sont essentiellement historiques, l'avènement
est événement. Le peintre prend la suite de la perception. Et cela ne
veut pas dire explication par le corps.

les peintres en une seule tentative, en une seule histoire cumulative, et leur production en un seul art ou en une seule culture *. L'unité de la culture prolonge au-delà des limites d'une vie individuelle le même genre de connexion qui s'établit entre tous ses moments lorsqu'une vie est instituée, lorsqu'une conscience, comme on dit, est scellée dans un corps et qu'apparaît au monde un nouvel être à qui adviendra on ne sait quoi, mais à qui désormais quelque chose ne saurait manquer d'advenir, qui ne saurait manquer d'avoir une histoire brève ou courte. La pensée analytique, aveugle pour le monde perçu, brise la transition perceptive d'un lieu à un autre, d'une perspective à une autre et cherche du côté de l'esprit la garantie d'une unité qui est déjà là quand nous percevons, brise aussi l'unité de la culture et cherche à la reconstituer du dehors. Après tout, dit-elle, il n'y a que des œuvres, des individus, d'où vient donc qu'ils se ressemblent? C'est alors qu'on introduit l'Esprit de la Peinture. Mais de même que nous devons reconnaître comme un fait dernier la possession corporelle de l'espace, l'enjambement du divers par le corps, de même que notre corps en tant qu'il vit et qu'il se fait geste ne repose que sur lui-même et ne pourrait tenir d'un esprit séparé ce pouvoir, de même l'histoire de la peinture qui court d'une œuvre à une autre repose sur elle-même et n'est portée que par ces efforts qui se soudent l'un à l'autre du seul fait qu'ils sont efforts d'expression. L'ordre intrinsèque

---

* *En marge :* Naturellement ce n'est pas insertion de tous les peintres dans un seul corps : le corps ici c'est l'histoire. Ce qu'on veut dire, c'est qu'elle existe *à la façon* du corps, qu'elle est du côté du corps.

des significations n'est pas éternel : s'il ne suit pas chaque zigzag de l'histoire empirique, il dessine, il appelle une série de démarches successives. Il ne se définit pas seulement, comme nous le disions provisoirement tout à l'heure, par la parenté de tous ses moments en une seule tâche : précisément parce qu'ils sont tous des moments de la peinture, chacun d'eux, s'il est conservé et transmis, modifie la situation de l'entreprise, et exige que ceux qui viendront ensuite soient justement autres que lui.

Quand on dit que chaque œuvre [véritable?] ouvre un horizon de recherches, cela veut dire qu'elle rend possible ce qui ne l'était pas avant elle, et qu'elle transfigure l'entreprise picturale en même temps qu'elle la réalise. Deux gestes culturels ne peuvent donc être identiques qu'à condition de s'ignorer l'un l'autre. Leur *efficacité* dont nous parlions plus haut a justement pour conséquence de rendre impossible en art la pure et simple répétition. Il est donc essentiel à l'art de se développer, c'est-à-dire à la fois de changer et, comme dit Hegel, de « revenir en soi-même », donc de se présenter sous forme d'histoire, et le sens du geste expressif sur lequel nous avons fondé l'unité de la peinture est par principe un sens en genèse. L'avènement n'est pas un dépassement du temps, il est une promesse d'événements. La domination de l'un sur le multiple dont l'histoire de la peinture nous offre l'exemple, comme celle que nous avons rencontrée dans l'exercice du corps percevant, ne consomme pas la succession dans une éternité : elle l'exige au contraire, elle en a besoin, en même temps qu'elle la fonde en signification. Et il ne s'agit pas, entre les deux problèmes, d'une simple *analogie*. C'est l'opération expressive du corps, commencée par la moindre perception, qui s'amplifie en peinture et en art. Le champ des significations picturales est ouvert depuis qu'un homme a paru dans le monde. Et le premier dessin au mur des cavernes ne fondait une tradition que parce qu'il en recueillait une autre : celle de la perception. La quasi-éternité de l'art se confond avec la quasi-éternité de l'existence incarnée, et nous avons dans notre corps avant toute initiation à l'art la première expérience du corps impalpable de l'histoire.

Indiquons pour finir que comprise ainsi l'histoire échapperait aux vaines discussions dont elle est aujourd'hui l'objet, et redeviendrait ce qu'elle doit être pour le philosophe : le centre de ses réflexions, non comme une nature simple, absolument claire par elle-même, et qui expliquerait tout le reste, mais au contraire comme le lieu même de nos interrogations et de nos étonnements. Que ce soit pour l'adorer ou pour la haïr, on conçoit aujourd'hui l'Histoire et la dialectique historique comme une Puissance extérieure. Entre elle et nous, il faut alors choisir, et choisir l'histoire, cela veut dire se dévouer corps et âme à l'avènement d'un homme futur, renoncer en faveur de cet avenir à tout jugement sur les moyens, en faveur de l'efficacité à toutes considérations de valeur, au « consentement de soi-même à soi-même ». Cette Histoire-idole sécularise les conceptions les plus rudimentaires de Dieu, et ce n'est pas par hasard que nos discussions contemporaines reviennent si volontiers à un parallèle entre ce qu'on appelle la « transcendance horizon-

tale » de l'histoire et la « transcendance verticale »
de Dieu. A la vérité c'est deux fois mal poser le
problème. Voilà plus de vingt siècles que l'Europe
a renoncé à la transcendance dite verticale et il est
un peu fort d'oublier que le Christianisme est pour
une bonne part la reconnaissance d'un mystère dans
le rapport de l'homme et de Dieu : justement le
Dieu chrétien ne veut pas d'un rapport vertical
de subordination, il n'est pas seulement un principe
dont nous serions les conséquences, une volonté
dont nous serions les instruments, il y a comme
une sorte d'impuissance de Dieu sans nous et Claudel
va jusqu'à dire que Dieu n'est pas au-dessus de
nous, mais au-dessous, voulant dire que nous ne
le trouvons pas comme un modèle supra-sensible
auquel il faudrait nous soumettre, mais comme un
autre nous-même, qui épouse et authentifie toute
notre obscurité. La transcendance, alors, ne sur-
plombe pas l'homme, il en est étrangement le porteur
privilégié. Par ailleurs aucune philosophie de l'histoire n'a jamais reporté sur l'avenir toute la réalité
du présent et *détruit* le soi pour lui faire place.
Cette névrose de l'avenir serait exactement la non-
philosophie, le refus délibéré de savoir *à quoi l'on croit*.
Hegel justement n'introduit pas l'Histoire comme
une nécessité brute qui oblitère le jugement et
supprime le soi, mais comme leur réalisation vraie.
Aucune philosophie n'a jamais consisté à choisir
entre des transcendances, — par exemple entre celle
de Dieu et celle de l'avenir humain, — elles sont toutes
occupées à les médiatiser, à comprendre comment
Dieu se fait homme ou comment l'homme se fait
Dieu, à élucider cet étrange enveloppement des

fins et des moyens qui fait que le choix d'un moyen
est déjà choix d'une fin — qui rend donc absurde
la justification des moyens par les fins — que le
soi se fait monde, culture, et que la culture a besoin
d'être animée par lui. Chez Hegel, comme on le
répète partout, tout ce qui est réel est rationnel
et donc justifié, — mais justifié tantôt comme acquisition positive, tantôt comme pause, tantôt même
comme un reflux qui promet un nouveau flux, bref
justifié relativement, à titre de *moment* de l'histoire
totale, sous condition que cette histoire se fasse,
et donc au sens où l'on dit que nos erreurs mêmes
portent pierre et que nos progrès sont nos erreurs
comprises, ce qui n'efface pas la différence des crois-
sances et des déclins, des naissances et des morts,
des régressions et des progrès...

La conception de l'État, chez Hegel, ne s'en tient
pas à cette sagesse, mais ce n'est pas une raison pour
oublier que même dans la *Philosophie du droit* il
rejette comme erreurs de l'entendement abstrait aussi
bien le jugement de l'action par les seuls effets que le
jugement de l'action par les seules intentions, et qu'il
a mis au centre de sa pensée ce lieu où l'intérieur se
fait extérieur, ce virage ou ce virement qui fait que
nous passons en autrui et autrui en nous. Les polé-
miques contre la « transcendance horizontale », au
nom de la « transcendance verticale » (admise ou seulement regrettée) ne sont donc pas moins inéquitables
envers Hegel qu'envers le Christianisme. C'est l'indigence de la pensée marxiste, mais aussi la paresse de
la pensée non-marxiste, chacune complice de l'autre,
comme toujours, qui finissent aujourd'hui par présenter la « dialectique » en nous ou hors de nous

comme puissance d'erreur, de mensonge et d'échec, transformation du bien en mal, fatalité de déception. Ce n'était là, chez Hegel, qu'une de ses faces, elle était aussi bien comme une grâce qui fait sortir le bien du mal, qui par exemple nous jette à l'universel quand nous ne croyons poursuivre que notre intérêt. Elle n'était, de soi, ni heureuse, ni malheureuse, ni ruine de l'individu, ni adoration du futur; c'était, Hegel le disait à peu près, *une marche qui crée elle-même son cours et retourne en soi-même*, un mouvement donc sans autre guide que sa propre initiative, et qui pourtant ne s'échappait pas hors de lui-même, se recoupait ou se confirmait de cycle en cycle, — c'était donc un autre nom pour le phénomène d'expression sur lequel nous avons insisté, qui se reprend de proche en proche et se relance comme par un mystère de rationalité. Et l'on retrouverait sans doute le concept d'histoire dans son vrai sens si l'on s'habituait à le former, comme nous le proposons, sur l'exemple des arts ou du langage : car l'intimité de toute expression à toute expression, leur appartenance commune à un seul ordre que le premier acte d'expression a institué, réalisent par le fait la jonction de l'individuel et de l'universel, et l'expression, le langage par exemple, est bien ce que nous avons de plus individuel, en même temps que s'adressant aux autres, il le fait valoir comme universel. Le fait central auquel la dialectique de Hegel revient de cent façons c'est que nous n'avons pas à choisir entre le *pour soi* et le *pour autrui*, entre la pensée selon nous-mêmes et la pensée selon autrui qui est proprement aliénation, mais que dans le moment de l'expression, l'autre à qui je m'adresse

et moi qui m'exprime sommes liés sans concession de
sa part ni de la mienne. Les autres tels qu'ils sont
ou tels qu'ils seront ne sont pas seuls juges de ce
que je fais : si je voulais me nier à leur profit, je les
nierais aussi comme « Moi »; ils valent exactement
ce que je vaux, tous les pouvoirs que je leur donne,
je me les donne du même coup. Je me soumets au
jugement d'un autre *qui soit lui-même digne de ce
que j'ai tenté*, c'est-à-dire en fin de compte d'un pair
choisi par moi-même. L'Histoire est juge — mais
non pas l'Histoire comme Pouvoir d'un moment ou
d'un siècle — l'Histoire comme ce lieu où se réunit,
s'inscrit et s'accumule par-delà les limites des siècles
et des pays tout ce que nous avons dit et fait de
plus vrai et de plus valable, compte tenu des situations où nous avions à le dire. De ce que j'ai fait, les
autres jugeront, parce que j'ai peint le tableau pour
qu'il soit vu, parce que mon action a engagé l'avenir
des autres, mais ni l'art ni la politique ne consistent
à leur plaire ou à les flatter. Ce qu'ils attendent de
l'artiste comme du politique c'est qu'il les entraîne
vers des valeurs où ils ne reconnaîtront qu'ensuite
leurs valeurs. Le peintre et le politique forment les
autres bien plus qu'ils ne les suivent, le *public* qu'ils
visent n'est pas donné, c'est le public que leur œuvre
suscitera; les *autres* auxquels ils pensent ce ne sont
pas les « autres » empiriques, ni donc l'*humanité*
conçue comme une espèce; ce sont les autres devenus
tels qu'il * puisse vivre avec eux, l'histoire à laquelle
il s'associe (et d'autant mieux qu'il ne pense pas
trop à « faire historique » et produit honnêtement
son œuvre, telle qu'il la veut) n'est pas un pouvoir

* *Sic.*

devant lequel il ait à plier le genou, c'est l'entretien
perpétuel qui se noue entre toutes les paroles, toutes
les œuvres et toutes les actions valables, chacune
de sa place et dans sa situation singulière contestant
et confirmant l'autre, chacune recréant toutes les
autres. L'histoire vraie vit donc tout entière de nous,
c'est dans notre présent qu'elle prend la force de
remettre au présent tout le reste, l'*autre* que je res-
pecte vit de moi comme moi de lui, une philosophie
de l'Histoire ne m'ôte aucun de mes droits, aucune
de mes initiatives. Il est vrai seulement qu'elle ajoute
à mes obligations de solitaire celle de comprendre
d'autres situations que la mienne, de créer un chemin entre mon vouloir et celui des autres, ce qui est
m'exprimer. D'une vie à l'autre les passages ne sont
pas d'avance tracés. Par l'action de culture, je m'installe dans des vies qui ne sont pas la mienne, je les
confronte, je les manifeste l'une à l'autre, je les rends
compossibles dans un ordre de vérité, je me fais
responsable de toutes, je suscite une vie universelle,
— comme je m'installe d'un coup dans l'espace par
la présence vivante et épaisse de mon corps. Et
comme l'opération du corps, celle des mots ou des
peintures me reste obscure : les mots, les traits, les
couleurs qui m'expriment sortent de moi comme mes
gestes, ils me sont arrachés par ce que je veux dire
comme mes gestes par ce que je veux faire. En ce
sens, il y a dans toute expression et même dans
l'expression par le langage, une spontanéité qui ne
souffre pas de consignes, et pas même les consignes
que je voudrais me donner à moi-même. Les mots,
dans l'art de la prose, transportent celui qui parle
et celui qui les entend dans un univers commun,

mais ils ne le font qu'en nous entraînant avec eux
vers une signification nouvelle, par une puissance de
désignation qui dépasse leur définition ou leur signification reçue et qui s'est déposée en eux, par la vie
qu'ils ont menée tous ensemble en nous, par ce que
Ponge appelait heureusement leur « épaisseur séman-
tique » et Sartre leur « humus signifiant ». Cette spontanéité du langage qui nous délivre de nos opposi-
tions n'est pas une consigne. L'histoire qu'elle fonde
n'est pas une idole extérieure : elle est nous-mêmes
avec nos racines, notre poussée propre et les fruits
de notre travail.

Histoire, langage, perception, ce n'est qu'en rap-
prochant ces trois problèmes qu'on pourra rectifier
dans leur propre sens les belles analyses de Malraux
et tirer d'elles la philosophie qu'elles comportent.
On verra alors qu'il est légitime de traiter la peinture comme un langage : ce traitement de la peinture met à nu en elle un *sens perceptif,* captif de la
configuration visible, et cependant capable de recueil-
lir en lui-même dans une éternité toujours à refaire
toute une série d'expressions antérieures sédimentées,
— et que la comparaison ne profite pas seulement à
notre analyse de la peinture, mais aussi à notre analyse
du langage : car elle nous fait déceler sous le langage
parlé, sous ses énoncés et son bruit sagement ordonnés à des significations toutes faites, un langage opérant ou parlant dont les mots vivent d'une vie
sourde comme les animaux des grandes profondeurs,
s'unissent et se séparent comme l'exige leur signification latérale ou indirecte. La transparence du langage parlé, cette brave clarté du mot qui n'est que
son et du sens qui n'est que sens, la propriété qu'il

a apparemment d'extraire le sens des signes, de l'isoler à l'état pur (en réalité simple présomption de l'incarner dans plusieurs formules où il reste le même) son pouvoir prétendu de résumer et d'enfermer réellement dans un seul acte tout un devenir d'expression, ce pouvoir cumulatif en somme n'est que le plus haut point d'une accumulation tacite ou implicite du genre de celle de la peinture.

Il faut commencer par admettre que le langage dans la plupart des cas ne procède pas autrement que la peinture. Un roman exprime comme un tableau. On peut raconter le sujet du roman comme celui du tableau, mais la vertu du roman, comme celle du tableau, n'est pas dans le sujet. Ce qui compte, ce n'est pas tant que Julien Sorel, apprenant qu'il est trahi par Mme de Rênal, aille à Verrière et essaie de la tuer, — c'est, après la nouvelle, ce silence, cette chevauchée de rêve, cette certitude sans pensée, cette résolution éternelle... Or, cela n'est dit nulle part. Pas besoin de « Julien pensait », « Julien voulait ». Il suffit, pour exprimer, que Stendhal se glisse en Julien, passe à un monologue en Julien, et fasse circuler sous nos yeux à la vitesse du voyage, les objets, les obstacles, les moyens, les hasards. Il suffit qu'il décide de raconter en trois pages, au lieu de raconter en dix, et de taire cela plutôt que de dire ceci. Ce n'est pas même que le romancier exprime en *choisissant* et par ce qu'il omet autant que par ce qu'il mentionne. Car il ne s'agit pas même pour lui de choisir. Consultant les rythmes de sa propre colère, de sa propre sensibilité à autrui, il leur donne soudain un corps imaginaire plus vivant que son propre corps, il fait comme dans une vie seconde le voyage de Julien selon une cadence de passion sèche qui choisit pour lui le visible et l'invisible, ce qu'il y a à dire et à taire. La volonté de mort, elle n'est nulle part *dans* les mots, elle est entre eux, dans les creux d'espace, de temps, de significations qu'ils délimitent, comme celle de mouvement au cinéma est entre les images immobiles qui se suivent, ou comme les lettres, dans certaines réclames, sont moins faites par les quelques traits noirs que par les plages blanches qu'ils indiquent vaguement, — blanches, mais pleines de sens, vibrantes de vecteurs et aussi denses que le marbre... Le romancier tient à son lecteur — et tout homme tient à tout homme — un langage d'initiés : initiés au monde, à l'univers de possibles que sont un corps humain, une vie humaine. Ce qu'il a à dire, il le suppose connu, il s'installe dans la conduite d'un personnage et ne donne au lecteur que la signature, la trace nerveuse et péremptoire qu'elle dépose dans l'entourage. S'il est écrivain, c'est-à-dire capable de trouver les ellipses, les élisions, les césures de la conduite, le lecteur répond à la convocation et le rejoint au centre du monde imaginaire qu'il gouverne et qu'il anime. Le roman comme compte rendu d'un certain nombre d'événements, comme énoncé d'idées, thèses ou conclusions, bref comme signification directe, prosaïque ou manifeste, et le roman comme inauguration d'un style, signification oblique ou latente sont dans un simple rapport d'homonymie, et c'est ce que Marx avait bien compris quand il adopta Balzac. Il ne s'agissait pas là, on peut le croire, de quelque retour de libéralisme. Marx voulait dire qu'une certaine manière de faire *voir* le monde de l'argent et les conflits de la société moderne importait plus que les *thèses*, et que cette vision, une fois acquise, amènerait ses justes conséquences avec ou sans l'assentiment de Balzac.

On a bien raison de condamner le formalisme, mais on oublie d'habitude que ce qui est condamnable en lui, ce n'est pas qu'il estime trop la forme, c'est qu'il l'estime trop peu, au point de la détacher du sens. En quoi il n'est pas différent d'une littérature du sujet, qui, elle aussi, détache le sens de l'œuvre de la structure. Le vrai contraire du formalisme est une bonne théorie de la parole qui la distingue de toute technique ou de tout instrument parce qu'elle n'est pas seulement moyen au service d'une fin extérieure, et qu'elle a en elle-même sa morale, sa règle d'emploi, sa vision du monde comme un geste révèle toute la vérité d'un homme. Et cet usage vivant du langage est, en même temps que le contraire du formalisme, celui d'une littérature des « sujets ». Un langage, en effet, qui ne chercherait qu'à exprimer les choses mêmes, épuiserait son pouvoir d'enseignement dans des énoncés de fait. Un langage au contraire qui donne notre perspective sur les choses, qui ménage en elles un relief, inaugure une discussion sur les choses qui ne finit pas avec lui, il suscite lui-même la recherche, il rend possible l'acquisition. Ce qui est irremplaçable dans l'œuvre d'art — ce qui fait d'elle non seulement une occasion de plaisir, mais un organe de l'esprit dont l'analogue se retrouve en toute pensée philosophique ou politique si elle est productive — c'est qu'elle contient mieux que des idées, des *matrices d'idées;* elle nous fournit d'emblèmes dont nous n'aurons jamais fini de développer le sens, et, justement parce qu'elle s'installe et nous installe dans un monde dont nous n'avons pas la clef, elle nous apprend à voir et nous donne à penser comme aucun ouvrage analytique ne peut le faire, parce qu'aucune analyse ne peut trouver dans un objet autre chose que ce que nous y avons mis. Ce qu'il y a de hasardeux dans la communication littéraire, ce qu'il y a d'ambigu et d'irréductible à la thèse dans toutes les grandes œuvres d'art n'est pas un défaut provisoire de la littérature, dont on pourrait espérer l'affranchir, c'est le prix qu'il faut payer pour avoir un langage conquérant, qui ne se borne pas à énoncer ce que nous savions déjà, mais nous introduise à des expériences étrangères, à des perspectives qui ne seront jamais les nôtres et nous défasse enfin de nos préjugés. Nous ne verrions jamais aucun paysage nouveau, si nous n'avions, avec nos yeux, le moyen de surprendre, d'interroger et de mettre en forme des configurations d'espace et de couleur jamais vues jusque-là. Nous ne ferions rien si nous n'avions, avec notre corps, le moyen de sauter par-dessus tous les moyens nerveux et musculaires du mouvement pour nous porter au but anticipé. C'est de la même manière, impérieuse et brève, que l'artiste, sans transitions ni préparations, nous jette dans un monde neuf. Et comme notre corps ne peut se retrouver parmi les choses ou les fréquenter qu'à condition que nous renoncions à l'analyser pour user de lui, — le langage littéraire ne peut dire des choses neuves qu'à condition que nous fassions cause commune avec lui, que nous cessions d'examiner d'où il vient pour le suivre où il va, que nous laissions les mots, les moyens d'expres-

sion du livre s'envelopper dans cette buée de signification qu'ils doivent à leur arrangement singulier,
et tout l'écrit virer vers une valeur seconde et tacite
où il rejoint presque le rayonnement muet de la
peinture. Autant que celui de la peinture, le sens
propre de l'œuvre d'art n'est d'abord perceptible
que comme une *déformation cohérente* imposée au
visible. Et il ne le sera jamais qu'ainsi. Des critiques
pourront bien confronter le mode d'expression d'un
romancier avec celui d'un autre, faire rentrer la
configuration choisie dans une famille d'autres configurations possibles, — ou même réalisées... Ce travail n'est légitime que s'il met les différences de
« technique » en rapport avec des différences du projet et du sens, et se garde surtout d'imaginer que
Stendhal pour dire *ce qu'*il avait à dire, pût emprun-
ter le style et le récit de Balzac. La pensée critique
nous explique à nous-mêmes ce que nous avons perçu
dans le roman, et pourquoi nous l'y avons perçu. Au
langage du romancier qui montre ou fait transparaître le vrai et ne le touche pas, elle substitue un
autre langage, qui prétend posséder son objet. Mais
elle est comme ces descriptions d'un visage sur un
passeport qui ne nous permettent pas de l'imaginer.
Le système d'idées et de moyens techniques qu'elle
trouve dans l'œuvre d'art, elle les prélève sur cette
signification inépuisable dont le roman s'est trouvé
revêtu quand il est venu décentrer, distendre, solli-
citer vers un nouveau sens notre *imago* du monde et
les dimensions de notre expérience. Le roman sur-
venant en elle la transforme, avant toute signification, comme la ligne auxiliaire introduite dans une
figure ouvre le chemin à la solution.

On répondra peut-être qu'en tout cas le langage du critique, et surtout celui du philosophe, a justement l'ambition de convertir en une vraie possession la prise glissante que la littérature nous donne sur l'expérience. Resterait à savoir — nous nous le demanderons tout à l'heure — si, même en cela, critique et philosophie ne se bornent pas à exercer, comme à la seconde puissance et dans une sorte de réitération, le même pouvoir d'expression elliptique qui fait l'œuvre d'art. Commençons en tout cas par constater qu'à première vue la philosophie pas plus que l'art n'investit son objet, ne le tient en main d'une manière qui ne laisse rien d'autre à désirer. Les métamorphoses de la philosophie de Descartes sont célèbres : nous l'éclairons de nos lumières comme la peinture moderne éclaire Greco ou Tintoret. Avant nous, Spinoza, Malebranche, Leibniz avaient, comme on sait, chacun à leur manière, mis les accents, changé les rapports des « figures » et des « fonds » et revendiqué chacun leur Descartes. Descartes c'est bien ce Français d'il y a trois siècles qui a écrit les *Méditations* et d'autres livres, répondu à Hobbes, à Mersenne, à d'autres, pris pour devise *larvatus prodeo* et fait ce pèlerinage à Notre-Dame-de-Lorette,... mais c'est aussi bien plus : comme Vermeer, Descartes est une de ces institutions qui s'esquissent dans l'histoire des idées avant d'y paraître en personne, comme le soleil s'annonce avant de dévoiler soudain un paysage renouvelé, — qui, à mesure qu'elles durent, ne cessent de s'accroître et de transformer en elles-mêmes les événements avec lesquels elles sont confrontées, jusqu'à ce que, insensiblement le mouvement s'inverse, et que l'excès

des situations et des rapports inassimilables pour
elles sur ceux qu'elles peuvent absorber les altère,
et suscite une autre forme qui pourtant n'aurait
pas été sans elles. Descartes, c'est Descartes, mais
c'est aussi tout ce qui après coup nous paraît l'avoir
annoncé, à quoi il a donné sens et réalité historique
— et c'est aussi tout ce qui a dérivé de lui, l'occasio-
nalisme de Malebranche caché dans un coin de la
Dioptrique, la substance de Spinoza à un détour
des *Réponses aux objections.* Comment tracer une
limite entre ce qu'il a pensé et ce qu'on a pensé
à partir de lui, — entre ce que nous lui devons
et ce que nos interprétations lui prêtent? Ses successeurs, il est vrai, appuient là où il passait vivement,
laissent dépérir ce qu'il expliquait soigneusement.
C'est un grand organisme où ils bouleversent la
distribution des centres vitaux et des fonctions.
Mais enfin c'est encore lui qui les éveille à leurs
pensées les plus propres, qui les anime dans leur
agression contre lui, et l'on ne peut pas plus faire
un inventaire rigoureux des pensées *de Descartes*
qu'on ne peut dans une langue faire l'inventaire
des moyens d'expression. Il a conçu plus vivement
que personne la distinction de l'âme et du corps,
mais *en cela même* il a vu mieux que personne le
paradoxe de leur union dans l'usage de la vie. Si
l'on veut, plutôt qu'à ses écrits dès leur début
bourdonnant des essaims de pensées qui allaient
les envahir, cerner Descartes par ce que l'homme
Descartes avait en tête *, dans la somme des minutes

* *Le texte portait en premier lieu :* « si l'on veut, plutôt qu'à ses écrits...
limiter Descartes à ce que l'homme Descartes... ». *L'auteur a substitué*
cerner *à* limiter, *mais n'a pas corrigé le premier membre de la phrase.*

de sa vie, le dénombrement n'est pas davantage possible : le champ de notre esprit, comme notre champ visuel, n'est pas limité par une frontière, il se perd dans une zone vague où les objets ne se prononcent plus que faiblement, mais ne sont pas sans une sorte de présence. Ce n'est pas seulement faute de renseignements — faute d'un journal daté de ses pensées — que nous sommes hors d'état de ᴅɪʀᴇ si Descartes, dans un moment de sa vie, a, oui ou non, conçu l'idéalisme, c'est parce que toute pensée un peu profonde, non seulement dans l'écrit, mais encore dans l'homme vivant, met en mouvement toutes les autres. Le mouvement de la deuxième *Méditation*, est et n'est pas l'idéalisme, selon qu'on le prend pour *vérité*, en un sens indépassable comme toute vérité, et qu'on s'y arrête quelque temps, comme le veut Descartes, pour s'en pénétrer à jamais, — ou qu'au contraire on croit pouvoir l'insérer comme vérité partielle dans une vérité plus large et le continuer vers un auteur divin du monde, comme Descartes le veut aussi; selon qu'on fait de l'inclination naturelle un cas particulier de la lumière naturelle et intérieure, ou au contraire de la lumière naturelle une opération du Dieu créateur sur nous. Puisque Descartes a au moins une fois donné la philosophie comme méditation, entendons : non pas un mouvement de l'esprit vers une vérité extérieure et immobile, mais une transformation par l'exercice de la pensée du sens de ses certitudes et de la vérité elle-même, c'est donc qu'il admet la vérité permanente de chaque pas, que ses conclusions les valident tous et qu'il n'admet pas de vérité qui ne soit *devenue*. Il y a donc chez lui, entre autres

choses l'idéalisme. Mais l'idéalisme comme moment
n'est pas l'idéalisme, il n'est donc pas dans Descartes.
Mais il y est puisque les autres moments, où Descartes le dépasse, ne sont pas légitimes, et qu'il
ne passe outre qu'en oubliant son commencement...
Ainsi la discussion se poursuit-elle à bon droit entre
les commentateurs. L'inventaire des pensées que
Descartes vivant a formées est impossible pour une
raison de principe qui est qu'aucune pensée ne
se laisse séparer. L'idéalisme était en lui et il
n'y était pas, comme, dans les devinettes, le lapin
est dans le feuillage et n'y est pas tant qu'on n'a
pas regardé d'un certain biais. La pensée d'un philosophe hors de toute équivoque des écrits et prise,
si cela a un sens, en lui-même, à l'état naissant,
n'étant pas une somme d'idées, mais un mouvement
qui traîne derrière lui un sillage et anticipe son
avenir, la distinction de ce qui *s'y trouve* et de ce
que les métamorphoses à venir y trouveront, ne
peut être, pour ainsi dire, que macroscopique. A
comparer les écrits mêmes de Descartes — l'ordre
de ses pensées, les mots dont il se sert, ce qu'il dit
à la lettre et ce qu'il nie — avec les écrits de Spinoza,
les différences sautent aux yeux. Mais dès qu'on
entre assez dans leurs écrits pour que la forme
extérieure en soit dépassée, et qu'apparaisse en horizon le problème qui leur est commun, les adversaires
de tout à l'heure apparaissent engagés l'un contre
l'autre dans une lutte plus subtile, où chacun, le
parricide et l'infanticide, frappe avec des armes
qui sont aussi celles de l'autre. C'est le propre du
geste culturel d'éveiller en chaque autre sinon une
consonance, du moins un écho. Pendant que Male-

branche écrit à Dortous de Mairan tout le mal
qu'il pense de Spinoza et que s'affrontent deux pensées opaques et têtues, voilà que soudain au point
où ils se heurtent, nous ne retrouvons plus deux
esprits singuliers, chacun fermé sur soi et étranger
à l'autre : nous découvrons qu'en frappant l'autre
chacun se blesse aussi, il ne s'agit plus d'un combat
singulier, mais d'une tension, dans le monde cartésien, entre l'essence et l'existence. Nous n'insinuons
ici aucune conclusion sceptique : ce n'est qu'à l'intérieur d'un même monde cartésien que les adversaires
sont frères; et ils ne le sont pas à leur insu : Malebranche n'est si sévère pour Spinoza que parce
que Spinoza a le moyen de le pousser assez loin
sur la route du spinozisme et qu'il ne veut pas
y aller. Nous ne disons donc pas que toute opposition
soit vaine ni que quelque Providence dans les choses
donne raison à tout le monde. Nous disons que
dans un même monde de culture les pensées de
chacun mènent dans l'autre une vie cachée, au
moins à titre de hantise, que chacun meut l'autre
comme il est mu par lui, est mêlé à l'autre au moment
même où il le conteste : cela n'est pas principe
de scepticisme mais au contraire de vérité. C'est
parce que, entre les pensées, se produit cette diffusion, cette osmose, c'est parce que le cloisonnement
des pensées est impossible, c'est parce que la question
de savoir *à qui appartient* une pensée est dépourvue
de sens que nous habitons vraiment le même monde
et qu'il y a pour nous une vérité. Et si enfin, faute
de trouver dans les œuvres qu'il a écrites ou les
pensées qu'il a vécues l'absolu de Descartes, on
le cherchait dans le choix indivisible qui sous-tendait

non seulement ces œuvres et ces pensées favorites
mais aussi, au jour le jour, ces aventures et ces
actions, certes on arriverait là au plus individuel,
à ce que « mille ans d'histoire ne peuvent détruire [1] ».
En disant oui ou non à ce qui lui était donné à voir,
à connaître ou à vivre, les décisions irrévocables
de Descartes posent une « borne » qu'aucun avenir
ne pourra arracher, et définissent, croirait-on, un
absolu propre de Descartes qu'aucune métamorphose
ne peut changer. Cependant toute la question n'est
pas de savoir si l'on dit oui ou non, mais pourquoi
on le dit, quel sens on donne à ce oui ou à ce non,
ce qu'on accepte au juste en disant oui, ce qu'on
refuse en disant non. Déjà pour ses contemporains,
les décisions de Descartes étaient à comprendre,
et ils ne pouvaient le faire sans y mettre du leur.
Descartes lui-même ne pouvait, à ses propres yeux,
se définir seulement par ce qu'il faisait, ni s'écraser
dans ses décisions, ni s'y réduire : encore lui fallait-il
discerner derrière elles le projet qu'elles manifes-
taient, le sens qu'il leur donnait. Ou plutôt chacune
d'elles n'avait de sens que provisoire et avait besoin
des suivantes pour être tout à fait déterminée.
La constatation du *se esse*, que les *Regulae* mettent
au nombre des natures simples, devait dans les *Méditations* s'isoler d'elles comme une première vérité,
comme une expérience privilégiée. Le sens du *se
esse* après les *Regulae* était donc en sursis. Et comme
on peut dire la même chose de tous les autres
ouvrages de Descartes, et comme le philosophe cesse
d'écrire ou meurt, non parce qu'il a achevé son
œuvre mais parce que, au-dessous de son projet

1. J.-P. Sartre.

total de vivre et de penser, quelque chose inopiné-
ment se défalque, comme toute mort est prématurée
au regard de la conscience qu'elle atteint, la vie
et l'œuvre entière de Descartes ne prennent finalement un sens irrévocable qu'aux yeux des survivants,
et par l'illusion du spectateur étranger. Pour Descartes vivant, et si étroitement qu'il fût pressé
de se prononcer dans son horizon historique, en
face de telle institution, de telle philosophie régnante,
de telle religion, si résolument qu'il ait dit oui à
ceci, non à cela, chaque décision, loin d'être un
absolu, demandait à être interprétée par les autres.
La question de la religion de Descartes n'est pas
tranchée par le pèlerinage à Notre-Dame-de-Lorette
ni par ce qu'il dit du catholicisme dans ses ouvrages :
reste à savoir ce que *pouvait être* ce oui, joint à
l'ensemble des pensées qu'il a par ailleurs exprimées.
Il ne s'agit pas tant de savoir *s'il* a été religieux
que dans quel sens il l'a été, quelle fonction remplis-
sait la religion dans l'ensemble Descartes.N'était-elle
présente en lui que d'une manière marginale, anonyme, comme un élément de l'équipement historique
de son temps et sans compromis avec un centre
propre de sa pensée, que l'on mettrait dans la
lumière naturelle? Ou au contraire allait-elle jusqu'au
cœur du philosophe Descartes, et comment s'y com-
posait-elle avec le reste? Ces questions, qui appellent
notre interprétation, il ne faudrait pas *postuler* qu'il
les ait lui-même articulées et résolues le jour où il
décida de faire un pèlerinage à Notre-Dame-de-
Lorette, et qu'il en détint par devers lui la solution
dans un tréfonds qui serait l'absolu de Descartes.
Non moins obscur à ses propres yeux qu'aux nôtres,

il peut se faire qu'il n'eût pas la clef de sa propre
vie; que, né dans un temps où la religion était
établie, il participât simplement à cette religion
générale et unît en lui des croyances et une lumière
naturelle, qui nous paraissent discordantes, sans leur
chercher de centre commun; que, finalement, il
n'y eût pas de clef unique de cette vie, qu'elle
ne soit énigmatique que comme l'est l'irrationnel, le
fait pur, l'appartenance d'une pensée à un temps,
c'est-à-dire énigmatique en soi, sans qu'il y ait
quelque part une solution... Qu'il en soit ainsi ou
qu'au contraire, soit la religion, soit la pensée pure
donne la clef Descartes, en tout cas le secret de
lui-même n'était pas donné tout fait en lui; il
avait, non moins que nous, à le déchiffrer ou à
l'inventer et c'est cette tentative d'interprétation
qu'on appelle son œuvre et sa vie. L'absolu de
Descartes, l'homme Descartes en son temps, dur
comme un diamant, avec ses tâches concrètes, ses
décisions, ses entreprises, c'est nous qui l'imaginons,
parce qu'il est mort, et depuis longtemps. Quant
à lui, au présent, il ne peut faire qu'il ne produise,
à chaque minute, une signification Descartes, avec
tout ce que les significations comportent de contes-
table, il ne peut faire un geste sans entrer dans
le labyrinthe de l'interprétation de soi-même en
attendant que les autres s'y mettent. A peine touche-
t-il à ce concours singulier de circonstances qui
constituent son lieu historique — à l'enseignement
du collège de La Flèche, à la géométrie, à la philosophie telles que la lui laissent ses prédécesseurs,
à cette guerre qu'il va faire, à cette servante qui lui
donnera une fille, à cette affreuse reine de Suède

qu'il faut instruire — tout prend sous ses doigts
un sens Descartes, qui peut se comprendre de plusieurs façons, tout se met à fonctionner dans un
monde Descartes, énigmatique comme tout l'individuel; sa propre vie se met à témoigner d'une manière
de traiter la vie et le monde et, comme tous les
autres, ce témoignage demande interprétation. Nous
ne trouvons pas même dans l'individu total *ce propre
de Descartes* que nous avons vainement cherché dans
sa pensée, ou plutôt nous ne l'y trouvons qu'en
énigme, sans être sûr que l'énigme comporte une
réponse. Ce qui fait que cette vie, finie depuis
trois cents ans, n'a pas été ensevelie dans le tombeau
de Descartes, qu'elle reste emblème et texte à lire
pour nous tous, et qu'elle demeure là-bas, « désarmée
et non vaincue, comme une borne », c'est justement
qu'elle était déjà signification et qu'en ce sens elle
appelait la métamorphose. En vain donc chercherait-
on même ici quelque chose qui ne soit qu'à Descartes.
Il n'est pas singulier comme un caillou ou comme
une essence : il est singulier comme un ton, un style
ou un langage, c'est-à-dire participable par les autres,
et plus qu'individu. Même reliée à sa vie, la pensée
du philosophe, — la plus décidée qui soit à être
explicite, à se définir, à se distinguer — comme la
pensée allusive du romancier n'exprime pas sans
sous-entendu.

Reste que le langage, même si dans le fait il
retombe à la précarité des formes d'expression
muettes, a en principe d'autres intentions qu'elles.
L'homme qui parle ou qui écrit prend à l'égard du
passé une attitude qui n'est qu'à lui. Tout le monde,
toutes les civilisations continuent le passé : les parents

d'aujourd'hui voient leur enfance dans celle de leurs propres enfants, reprennent envers eux les conduites de leurs propres parents, ou bien, par rancune, ils passent à l'extrême opposé, pratiquent l'éducation libertaire, s'ils ont subi l'éducation autoritaire, mais, par ce détour, ils rejoignent souvent leur tradition, puisque le vertige de la liberté ramènera l'enfant au système de la sécurité et fera de lui dans vingt ans un père autoritaire. Chaque conduite que nous tenons à l'égard d'un enfant est perçue par lui non seulement dans ses effets mais encore dans son principe. Il ne la subit pas seulement comme enfant, il l'assume comme adulte futur, il n'est pas seulement objet mais déjà sujet, il est en complicité avec les sévérités mêmes qu'il subit, parce que son père est un autre lui-même. De là vient que l'éducation autoritaire ne fait pas, comme on pourrait le croire, de vrais révoltés : après les révoltes de la jeunesse, on voit reparaître dans l'adulte l'image même de son père. C'est peut-être que l'enfant, avec une subtilité extraordinaire, ne perçoit pas seulement la rigidité de ses parents mais, derrière elle, le fond d'angoisse et d'incertitude qui souvent la motive, que souffrant de l'une il apprend aussi à souffrir de l'autre, et, quand ce sera l'heure d'être parent, ne fuira pas moins l'une que l'autre, et rentrera pour son compte dans le labyrinthe de l'angoisse et de l'agression qui fait les violents. Ainsi, en dépit des zigzags, qui ramènent parfois au point de départ, et parce que chaque petit homme, à travers chaque soin dont il est l'objet, chaque geste dont il est témoin, s'identifie à la forme de vie des parents, s'établit une tradition passive à laquelle tout le poids de l'expé-

rience et des acquisitions propres ne seront pas de
trop pour apporter quelque changement. Ainsi se
fait la redoutable et nécessaire intégration culturelle,
la reprise d'âge en âge d'un destin. Bien entendu,
des changements interviennent — ne serait-ce que
parce que l'enfant hérite des conclusions sans avoir
vécu les prémisses et que les conduites apprises, iso-
lées des expériences qui les motivent, peuvent être
par lui investies d'un nouveau sens. Mais en tout
cas ces changements se font dans l'obscurité, il est
rare que l'enfant comprenne sa race, comprenne les
profondes émotions par lesquelles il a commencé de
vivre, et en tire un enseignement au lieu de les laisser
jouer en lui. Il se contente d'ordinaire de les continuer, non dans leur vérité, mais dans ce qu'elles ont
de blessant et d'intolérable. La tradition d'une
culture est en surface monotonie et ordre, en profondeur tumulte et chaos, et la rupture même n'est pas
plus une libération que la docilité.

L'immense nouveauté de l'expression est qu'elle
fait enfin sortir la culture tacite de son cercle mortel.
Quand les arts apparaissent dans une culture, apparaît aussi un nouveau rapport au passé. Un artiste
ne se contente pas de le continuer, par la vénération
ou par la révolte; il le recommence; il ne peut, comme
un enfant, s'imaginer que sa vie est faite pour pro-
longer d'autres vies; s'il prend le pinceau, c'est qu'en
un sens la peinture est encore à faire. Pourtant cette
indépendance même est suspecte : justement si la
peinture est toujours à faire, les œuvres qu'il pro-
duira vont s'*ajouter* aux œuvres déjà faites : elles ne
les contiennent pas, elles ne les rendent pas inutiles,
elles les recommencent; la peinture présente, même

si elle n'a été possible que par tout un passé de peinture, nie trop délibérément ce passé pour pouvoir le dépasser vraiment. Elle ne peut que l'oublier. Et la rançon de sa nouveauté c'est qu'elle fait apparaître ce qui est venu avant elle comme une tentative manquée, c'est qu'une autre peinture demain la fera apparaître comme une autre tentative manquée, et qu'enfin la peinture entière se donne comme un effort avorté pour dire quelque chose qui reste toujours à dire. C'est ici qu'on aperçoit le propre du langage.

Car l'homme qui écrit, s'il ne se contente pas de continuer la langue qu'il a reçue, ou de redire des choses déjà dites, ne veut pas davantage la remplacer par un idiome qui, comme le tableau, se suffise et soit fermé sur sa propre signification. Il veut la réaliser et la détruire en même temps, la réaliser *en la détruisant* ou la détruire *en la réalisant*. Il la détruit comme parole toute faite, qui ne réveille plus en nous que des significations languissantes, et ne rend pas présent ce qu'elle dit. Il la réalise cependant parce que la langue donnée qui le pénètre de part en part et donne déjà une figure générale à ses pensées les plus secrètes, n'est pas là comme une ennemie, et qu'au contraire elle est tout entière *prête* pour convertir en acquisition ce qu'il signifie de nouveau. C'est comme si elle avait été faite pour lui, mais aussi lui fait pour elle, comme si la tâche de parler que lui assigne la langue et à laquelle il a été voué en l'apprenant, était lui-même, à plus juste titre que la pulsation de sa vie, ou que la langue instituée portât déjà l'écrivain en elle-même comme un de ses possibles. Chaque peinture nouvelle prend

place dans le monde inauguré par la première peinture, elle accomplit le vœu du passé, elle a de lui
procuration, elle agit en son nom, mais elle ne le
contient pas à l'état manifeste, elle est mémoire pour
nous si nous connaissons par ailleurs l'histoire de la
peinture, elle n'est pas mémoire pour soi, elle ne
prétend pas totaliser ce qui l'a rendue possible; la
parole au contraire, non contente d'aller au-delà,
prétend récapituler, récupérer, contenir en substance
le passé et, comme elle ne saurait, à moins de le
répéter textuellement, nous le donner dans sa présence, elle lui fait subir une préparation qui le rend
capable de se manifester en elle : elle veut nous en
donner la *vérité*. Elle se noue sur elle-même, se
reprend et se ressaisit. Elle ne se contente pas de
pousser le passé en se faisant place dans le monde,
elle veut le conserver, dans son esprit ou dans son
sens. Les propriétés du nombre fractionnaire ne
rendent pas fausses celles du nombre entier, ni la
géométrie dans l'espace la géométrie plane, ni les
géométries non euclidiennes Euclide, ni même les
conceptions d'Einstein celles de la physique classique : les nouvelles formulations font apparaître les
anciennes comme des cas particuliers spécialement
simples, où certaines possibilités de variations n'ont
pas été employées, et qui ne seraient trompeurs que
si l'on en faisait la mesure de l'être lui-même. La
géométrie plane est une géométrie dans l'espace où
l'on fait une dimension nulle, l'espace euclidien un
espace à n dimensions où l'on fait $n - 3$ dimensions
nulles. La vérité des formulations anciennes n'est
donc pas une illusion : elles sont fausses dans ce
qu'elles nient, elles sont vraies dans ce qu'elles

affirment et il est après coup possible d'y voir une prise anticipée sur les explicitations de l'avenir. C'est donc le propre de l'algorithme de conserver les formulations anciennes à mesure qu'il les change en elles-mêmes et en leur sens légitime, de les réaffirmer au moment où il les dépasse, de les sauver en les détruisant, et donc de les faire apparaître comme parties d'une totalité en construction, ou comme ébauches d'un ensemble futur. Ici la sédimentation n'accumule pas seulement création sur création, elle intègre — les premières démarches ne lancent pas seulement vers l'avenir un appel vague, la consommation qu'il réalise est celle-là même qu'elles appelaient, puisqu'elle les sauve —, elles sont l'expérience de la même vérité dans laquelle elles viendront se fondre. De là vient qu'il y ait de l'acquis dans la science, alors que la peinture est toujours en suspens, de là vient que l'algorithme rende disponibles les significations qu'il a réussi à proférer, c'est-à-dire qu'elles nous paraissent mener, au-delà de leurs formulations provisoires, une existence indépendante. Or il y a quelque chose d'analogue dans tout langage. L'écrivain ne se conçoit que dans une langue établie, alors que chaque peintre refait la sienne. Et cela veut dire beaucoup. Cela veut dire que l'œuvre du langage, construite à partir de ce bien commun qu'est la langue, prétend s'y incorporer. Cela veut dire aussi qu'elle se donne d'emblée comme incluse dans la langue, au moins à titre de possible; les transformations mêmes qu'elle y apporte y demeurent reconnaissables après le passage de l'écrivain, au lieu que l'expérience d'un peintre, en passant dans ses successeurs, cesse d'être identifiable. Cela veut dire que le passé du langage n'est pas seulement passé surmonté, mais aussi passé compris. La peinture est muette.

Il y a un usage critique, philosophique, universel du langage, qui prétend récupérer les choses comme elles sont, au lieu que la peinture les transforme en peinture, — qui prétend récupérer tout, et le langage lui-même, et l'usage qu'en ont fait d'autres doctrines. Socrate tue Parménide, mais les meurtres philosophiques sont en même temps la reconnaissance d'une filiation. Spinoza pense exprimer la vérité de Descartes, et, bien entendu, Hegel la vérité de Spinoza, de Descartes et de tous les autres. Et il est évident, sans autres exemples, que le philosophe, du moment qu'il vise la vérité ne pense pas qu'elle l'ait attendu pour être vraie, la vise donc comme vérité de tous depuis toujours. Il est essentiel à la vérité d'être intégrale, alors qu'aucune peinture valable ne s'est jamais prétendue intégrale. Si, comme le dit Malraux, l'unité des styles n'apparaît qu'au Musée, dans la comparaison des œuvres, si elle est *entre* les tableaux ou derrière eux, au point que le Musée les fait apparaître comme des « Sur-artistes » derrière les artistes, et l'histoire de la peinture comme un flot souterrain dont aucun d'eux n'épuise l'énergie, c'est que l'Esprit de la Peinture est un esprit hors de soi. Il est, au contraire, essentiel au langage de chercher à se posséder, de conquérir par la critique le secret de ses propres inventions de style, de parler sur la parole, au lieu de l'employer seulement, enfin l'esprit du langage est ou prétend être esprit pour soi, il voudrait ne rien tenir que de soi. L'attitude du langage et celle de la peinture à l'égard du temps sont presque à l'opposé. Malgré les vêtements des personnages, la forme des meubles et des ustensiles qui y figurent, les circonstances historiques auxquelles il peut faire allusion, le tableau installe d'emblée son charme dans une éternité rêveuse où, plusieurs siècles plus tard, nous n'avons pas de peine à le rejoindre, sans même avoir été initiés à l'histoire de la civilisation où il est né. L'écrit au contraire ne commence à nous communiquer son sens le plus durable qu'après nous avoir initiés à des circonstances, à des débats depuis longtemps passés : *Les Provinciales* ne nous diraient rien si elles ne remettaient au présent les disputes théologiques du xviie siècle, ni *Le Rouge et le Noir* les ténèbres de la Restauration. Mais cet accès immédiat au durable que la peinture s'octroie, elle le paye curieusement et subit, beaucoup plus que le langage, le mouvement du temps : les chefs-d'œuvre mêmes de Léonard de Vinci nous font penser à lui plutôt qu'à nous, à l'Italie plutôt qu'aux hommes. Et au contraire la littérature, dans la mesure même où elle renonce à la prudence hypocrite de l'art, où elle affronte bravement le temps, où elle le montre au lieu de l'évoquer vaguement, le « fonde en signification » pour toujours. Sophocle, Thucydide, Platon ne reflètent pas la Grèce, ils la donnent à voir, même à nous qui en sommes si loin. Les statues d'Olympie, qui font autant ou plus pour nous attacher à elle, nourrissent aussi dans l'état où elles nous sont parvenues — blanchies, brisées, détachées de l'œuvre totale — un mythe frauduleux de la Grèce, elles ne résistent pas au temps comme peut le faire un écrit. Des manuscrits déchirés, presque illisibles, et réduits à quelques phrases, jettent pour nous des éclairs comme aucune statue en morceaux ne peut le faire, parce que la signification est en eux autrement déposée, autrement concentrée qu'en elles, parce que rien n'égale la ductilité de la parole. La première peinture inaugure un monde, la première parole ouvre un univers. Enfin le langage *dit* et les voix de la peinture sont les « voix du silence »... Si nous pressons le sens de ce petit mot « dire », si nous tirons au clair ce qui fait le prix du langage, nous y trouvons l'intention de dévoiler la chose même, de dépasser l'énoncé vers ce qu'il signifie. Chaque parole a beau renvoyer à toutes les autres paroles possibles et tirer d'elles son sens, encore est-il qu'au moment où elle se produit, la tâche d'exprimer n'est plus différée, renvoyée à d'autres paroles, elle est faite et nous comprenons quelque chose. Nous disions plus haut avec Saussure qu'un acte singulier de parole n'est pas de soi signifiant et ne le devient que comme modulation d'un système général d'expression, et en tant qu'il se *différencie* des autres gestes linguistiques qui composent la langue, si bien que le langage ne peut en somme porter que des différences de significations et présuppose une communication générale, même si elle est vague et inarticulée. Il faut maintenant ajouter : la merveille est qu'avant Saussure nous n'en savions rien, et que nous l'oublions encore chaque fois que nous parlons, par exemple quand nous parlons de Saussure. La merveille est que, simple pouvoir de différencier des significations, et non de les donner à qui ne les aurait pas, la parole paraît cependant les contenir et les véhiculer. Cela veut dire que nous ne devons pas déduire le pouvoir signifiant de chacune du pou-

voir des autres, ce qui ferait cercle, ni même d'un
pouvoir global de la langue : un tout peut avoir
d'autres propriétés que ses parties, il ne peut se faire
ex nihilo. Chaque acte linguistique partiel comme
partie d'un tout et acte commun du tout de la
langue, ne se borne pas à en dépenser le pouvoir,
il le recrée parce qu'il nous fait vérifier, dans l'évidence du sens donné et reçu, la capacité qu'ont les
sujets parlants de dépasser les signes vers le sens,
dont après tout ce que nous appelons la langue n'est
que le résultat visible et l'enregistrement. Les signes
n'évoquent pas seulement pour nous d'autres signes,
et cela sans fin, le langage n'est pas comme une
prison où nous soyons enfermés ou un guide dont
nous aurions à suivre aveuglément les indications,
parce que dans leur usage actuel, à l'intersection de
ces mille gestes apparaît enfin ce qu'ils veulent dire,
et à quoi ils nous ménagent un accès si facile que
nous n'aurons plus même besoin d'eux pour nous y
référer. Même si, dans la suite, nous nous apercevions
que nous n'avons pas encore touché les choses mêmes,
que cet arrêt dans la volubilité de notre esprit n'était
que pour préparer un nouveau départ, que l'espace
euclidien, loin de s'offrir avec une clarté dernière,
avait encore l'opacité d'un cas très particulier et que
sa vérité n'était que vérité de deuxième ordre, qui
avait besoin d'être fondée dans une nouvelle généralisation de l'espace, encore est-il que le mouvement
par lequel nous passons d'une évidence naïve à une
évidence qui l'est moins établit entre l'une et l'autre
un rapport d'implication qui est propre aux choses
dites. Le schizophrène comme le philosophe bute
sur les paradoxes de l'existence et l'un et l'autre

consument leurs forces à s'en étonner, ils échouent
si l'on veut, l'un et l'autre, à récupérer complètement le monde. Mais pas au même point. L'échec
du schizophrène est subi, et ne se fait connaître que
par quelques phrases énigmatiques. Ce qu'on appelle
l'échec du philosophe laisse derrière lui tout un sillage d'actes d'expression qui nous font ressaisir notre
condition. Quand donc on compare le langage aux
formes muettes de l'expression, — au geste, à la
peinture — il faut bien voir qu'il ne se contente pas,
comme elles, de dessiner, à la surface du monde, des
vecteurs, des directions, une « déformation cohérente », un sens tacite. Le chimpanzé qui apprend à
employer une branche d'arbre pour atteindre son
but ne le fait d'ordinaire que si les deux objets
peuvent être vus d'un seul coup d'œil, s'ils sont en
« contact visuel ». Il ne voit la branche d'arbre
comme « bâton possible » que si elle s'offre dans le
même champ visuel où figure aussi le but. C'est dire
que ce *sens nouveau* de la branche est un faisceau
d'intentions pratiques qui la joignent au but, l'imminence d'un geste, l'index d'une manipulation. Il naît
sur le circuit du désir, entre le corps et ce qu'il
cherche, et la branche d'arbre ne vient s'intercaler
sur ce trajet qu'en tant qu'elle le facilite, elle ne
garde pas toutes ses propriétés de branche d'arbre.
Les psychologues montrent qu'une caisse est pour le
chimpanzé ou bien moyen de s'asseoir ou bien moyen
de grimper, mais non pas les deux à la fois. Il suffit
qu'un congénère soit assis sur la caisse pour que le
chimpanzé cesse de la traiter comme moyen de grimper. C'est dire que la signification qui habite ces
conduites est comme visqueuse, elle adhère à la dis-

tribution fortuite des objets, elle n'est signification
que pour un corps engagé à tel moment dans telle
tâche. La signification du langage, au moment où
nous la saisissons, semble au contraire se libérer de
toute attache. Quand, pour trouver la surface du
parallélogramme, je le traite comme un rectangle
possible et énonce celles de ses propriétés qui autorisent par principe la transformation, je ne me borne
pas à le changer, je pose que ce changement le laisse
intact et que dans le parallélogramme lui-même, en
tant qu'il est un rectangle possible, la surface est
égale au produit de la base par la hauteur. Nous
n'avons pas seulement substitution d'un sens à un
autre, mais substitution de sens *équivalents*, la nouvelle structure nous apparaît comme déjà présente
dans l'ancienne, ou l'ancienne encore présente dans
la nouvelle, le passé n'est pas simplement dépassé,
il est *compris*, ce qu'on exprime en disant qu'il y a
vérité, et qu'ici émerge l'esprit. Tout à l'heure,
comme dans un kaléidoscope, un nouveau paysage
était soudain donné à l'action de l'animal, moyennant certaines conditions de fait dont il profitait,
maintenant le même objet nous révèle une propriété
sienne, qu'il avait avant nous, qu'il gardera ensuite.
Nous sommes passés de l'ordre des causes à l'ordre
des raisons, et d'un temps qui accumule les changements à un temps qui les comprend.

Ce qu'il faut voir, cependant, c'est que nous ne
sortons toujours pas du temps, ni d'un certain champ
de pensées, que celui qui comprend même la géométrie n'est toujours pas un esprit sans situation dans le
monde naturel et dans la culture, qu'il est l'héritier,
dans le meilleur des cas le fondateur, d'un certain

langage, que la signification ne transcende la *présence de fait* des signes, que comme l'institution est au-delà des contingences qui lui ont donné naissance. Certes, quand Galilée réussit à réunir sous une signification commune les mouvements uniformément accélérés, les mouvements uniformément retardés, comme celui d'une pierre qu'on jette vers le ciel, et le mouvement rectiligne uniforme d'un corps qui n'est soumis à l'action d'aucune force, les trois ordres de faits deviennent bien les variantes d'une seule dynamique, et il nous semble avoir fixé une *essence* dont ils ne sont plus que des *exemples*. Mais cette signification ne peut par principe que transparaître à travers les figures concrètes qu'elle unit. Qu'elle nous apparaisse à partir des « cas particuliers », cela n'est pas un accident de sa genèse, qui ne l'affecterait pas elle-même, cela est inscrit dans son contenu et si l'on voulait la détacher des circonstances où elle se manifeste, elle s'annulerait sous nos yeux. Elle n'est pas tant une signification par-delà les faits qui la signifient, que le moyen par lequel nous pouvons passer de l'un à l'autre, ou la trace de leur génération intellectuelle. La vérité unique et commune, d'où nous les voyons émaner après coup, elle n'est pas *derrière eux* comme la réalité est derrière l'apparence, elle ne peut fonder aucun mouvement progressif par lequel nous les déduirions d'elle, elle n'est *leur* vérité qu'à condition que nous la maintenions toujours à leur contact. Quand Gauss remarque que la somme des n premiers nombres est faite de $\dfrac{n}{2}$ sommes partielles donc que chacune est égale à $n + 1$, et parvient ainsi à la formule $\dfrac{n}{2}\,(n + 1)$,

quand il donne cette signification à toute suite continue de nombres, ce qui l'assure d'en avoir découvert l'essence et la vérité, c'est qu'il *voit* dériver de la série des nombres les couples de valeur constante qu'il va compter, au lieu d'effectuer la somme. La formule $\dfrac{n}{2}\,(n + 1)$ ne porte l'essence de ce fait mathématique, elle n'est démontrée qu'autant que nous comprenons, sous le même signe n deux fois employé, la double fonction qu'il remplit : celle du nombre de chiffres à sommer (n ordinal) et celle du nombre final de la série (n cardinal). Et toute autre formule, équivalente aux yeux de l'algébriste, que nous pourrions tirer de celle-là, telle que $\dfrac{n + 1}{2}\,(n)$ ou $\dfrac{n\,(n + 1)}{2}$ ou $\dfrac{n^2 + n}{2}$, n'a valeur expressive que par son intermédiaire, parce qu'elle seule fait voir le rapport entre l'objet considéré et sa « vérité ». Il est bien entendu permis à une pensée aveugle d'user de ces dernières formules et l'on est assuré que les résultats que l'on obtiendra par ce moyen seront vrais *aussi*, seulement dans la mesure où nous aurons pu les construire à partir d'elle en réitérant l'opération qui nous avait permis de la construire à partir de la série des nombres. Ainsi rien ne limite notre pouvoir de formaliser, c'est-à-dire de construire des expressions de plus en plus générales d'un même fait, mais, si loin qu'aille la formalisation, sa signification reste comme en sursis, elle ne veut actuellement rien dire et elle n'a aucune vérité tant que nous n'appuyons pas ses superstructures sur une chose vue. Signifier, signifier quelque chose, cet acte décisif n'est donc accompli que lorsque les constructions s'appliquent au perçu comme à ce dont il y a signification ou expression, et le perçu avec ses significations visqueuses est dans un double rapport avec le compris : d'un côté il n'en est que l'ébauche et l'amorce, il appelle une reprise qui le fixe et le fasse *être* enfin — d'un autre côté il en est le prototype et achève seul de faire du compris la vérité actuelle. Certes, il s'en faut que le sensible, si l'on entend par là la qualité, contienne tout ce que nous pensons, et il n'est même presque rien dans la perception humaine qui soit entièrement sensible, le sensible est introuvable. Mais il n'est rien aussi que nous puissions penser effectivement et actuellement sans le relier à notre champ de présence, à l'existence actuelle d'un perçu, et en ce sens il contient tout. Il n'y a pas de vérité qui puisse seulement se concevoir hors d'un champ de présence, hors des limites d'une quelconque situation et d'une structure quelle qu'elle soit. Il nous est donné de sublimer cette situation jusqu'à la faire apparaître comme cas particulier de toute une famille de situations, mais non de couper des racines qui nous implantent dans une situation. La transparence formelle de l'algorithme recouvre une opération de va-et-vient entre les structures sensibles et leur expression, et toute la genèse des significations moyennes, mais faut-il les réactiver pour penser l'algorithme?

Quoique le propre de la sédimentation dans les

sciences soit de contracter dans l'évidence d'une
seule prise une série d'opérations, qui n'ont plus
besoin d'être explicitées pour opérer en nous, la
structure ainsi définie n'a son plein sens et ne se
prête à de nouveaux progrès du savoir que si elle
garde quelque rapport avec notre expérience, et
si nous recommençons, même par une voie plus
courte, à la construire à partir d'elle. C'est nous
qui disons que les théories dépassées sont conservées
par les théories ultérieures : elles ne le sont que
moyennant une transposition qui convertit en transparence ce qui, en elles, était opaque comme toute
donnée de fait; ces erreurs ne sont sauvées que
comme vérités, ne sont donc pas sauvées. Et peut-
être avec elles notre théorie laisse-t-elle, hors d'elle-
même et de ses évidences, une frange de savoir
pressenti que la science, à son prochain tournant,
reprendra. La science valable n'est pas faite de
son présent seulement, mais aussi de son histoire.

Si cela est vrai de l'algorithme, à plus forte raison
du langage. Hegel est le seul à penser que son
système contienne la vérité de tous les autres, et
si quelqu'un ne les connaissait qu'à travers sa synthèse, il ne les connaîtrait pas du tout. Même si
Hegel est vrai d'un bout à l'autre, rien ne dispense
de lire ceux qui sont venus avant lui, car il ne peut
les contenir que « dans ce qu'ils affirment ». Connus
dans ce qu'ils nient, ils offrent au lecteur une autre
situation de pensée qui n'est pas dans Hegel éminemment, qui n'y est pas du tout, d'où Hegel est visible
sous un jour qu'il ignore lui-même. Hegel est le
seul à penser qu'il n'ait pas de pour autrui et soit
aux yeux des autres exactement ce qu'il se sait

être. Même s'il représente un progrès par rapport aux autres philosophies, il a pu y avoir, dans tel passage de Descartes ou de Platon, dans tel mouvement des *Méditations* ou des *dialogues*, et justement à cause des « naïvetés » qui les tenaient encore à l'écart de la « vérité » hégélienne, un contact avec les choses, une étincelle de signification qui ne passeront qu'éminemment dans la synthèse hégélienne, et auxquels il faudra toujours revenir, ne serait-ce que pour comprendre Hegel. Hegel, c'est le musée, c'est toutes les philosophies, si l'on veut, mais privées de leur zone d'ombre, de leur finitude, de leur impact vivant, embaumées, transformées, croit-il, en elles-mêmes, mais à vrai dire transformées en lui. Il suffit de voir comment une vérité dépérit quand elle cesse d'être seule et quand elle est intégrée à une autre vérité plus ample — comment par exemple le cogito, quand il passe de Descartes à Malebranche, à Leibniz ou même à Spinoza, cesse d'être une pensée et devient un concept, un rituel que l'on redit du bout des lèvres — pour comprendre que la synthèse ne peut, sous peine de mort, être une synthèse objective, qui contiendrait effectivement toutes les pensées révolues, ou encore une synthèse réelle qui *serait* tout ce qu'elles ont été, ou enfin une synthèse en et pour soi qui, *dans le même temps et sous le même rapport* soit et connaisse, soit ce qu'elle connaît, connaisse ce qu'elle est, conserve et supprime, réalise et détruise.

Hegel nous dit que la synthèse garde le passé « dans sa profondeur présente ». Mais comment a-t-elle une profondeur et quelle est cette profondeur? C'est la profondeur de ce qu'elle n'est plus, c'est la profondeur du passé, et la pensée vraie ne l'engendre pas, elle n'y a été initiée que par le fait du passé ou par le passage du temps. Si Hegel veut dire que ce passage n'est pas simple destruction et que le passé, à mesure qu'il s'éloigne, se change en son sens, s'il veut dire qu'à égale distance entre un ordre des immuables natures et la circulation des moments du temps qui se chassent l'un l'autre, nous pouvons après coup retracer un cheminement des idées, une histoire intelligible et reprendre tout le passé dans notre présent vivant, il a raison. Mais c'est à condition que cette synthèse, comme celle qui nous donne le monde perçu, reste de l'ordre du pré-objectif et soit contestée par chacun des termes qu'elle unit, ou plutôt c'est à condition que chacun d'eux demeure, comme il l'a été au présent, l'égal du tout, le tout du monde à la date considérée et que l'enchaînement des philosophies dans une histoire intentionnelle reste la confrontation de significations ouvertes, un échange d'anticipations et de métamorphoses. Il est sûr en un sens que le moindre étudiant en philosophie d'aujourd'hui pense avec moins de préjugés que Descartes, et en ce sens qu'il est plus près du vrai, et cette prétention est postulée par tout homme qui se mêle de penser après Descartes. Mais c'est encore Descartes qui pense à travers ses petits-neveux, et ce que nous pouvons dire contre lui est encore l'écho de sa parole brève et décidée. C'est par les autres que nous comprenons Hegel, en tant même qu'il les dépasse, tout autant que nous comprenons les autres par lui. Un présent qui contiendrait réellement le passé dans tout son sens de passé et, en particulier, le passé de tous les passés, le monde dans tout son sens de monde, serait aussi un présent sans avenir, puisqu'il n'y aurait plus aucune réserve d'être d'où quelque chose puisse lui advenir. L'idole cruelle de l'en soi pour soi hégélien est exactement la définition de la mort. La sédimentation n'est pas la fin de l'histoire. Il n'y a pas d'histoire si rien ne demeure de ce qui passe et si chaque présent, justement dans sa singularité, ne s'inscrit une fois pour toutes au tableau de ce qui a été et continue d'être. Mais il n'y a pas davantage d'histoire si ce tableau ne se creuse selon une perspective temporelle, si le sens qui y paraît n'est le sens d'une genèse, accessible seulement à une pensée ouverte comme la genèse le fut. Ici le comble de la sagesse et de la ruse est une naïveté profonde.

Quant à la littérature, elle accepte d'ordinaire plus résolument de ne jamais être totale, et de ne nous donner que des significations ouvertes. Mallarmé lui-même sait bien que rien ne tomberait de sa plume s'il restait absolument fidèle à son vœu de dire *tout*, qu'il n'a pu écrire des livres qu'en renonçant au *Livre* — ou plutôt que le *Livre* ne s'écrit qu'à plusieurs. Chaque écrivain sait bien que, si la langue nous donne plus que nous n'aurions su trouver à nous seuls, il n'y a pas d'âge d'or du langage. Quand il a reçu la langue qu'il écrira, tout reste encore à faire, il lui faut refaire *sa* langue à l'intérieur de cette langue; elle ne lui fournit qu'un signalement extérieur des choses; le contact prétendu avec elles n'est pas au début de la langue, mais au bout de son effort, et en ce sens l'existence d'une langue donnée nous masque plutôt qu'elle ne nous montre

la vraie fonction de la parole. Quand nous mettons
en contraste l'éloquence du langage et le silence de
la peinture, c'est d'ordinaire que nous comparons le
langage classique et la peinture moderne. Si nous
comparions le langage de l'écrivain moderne et l'apparente éloquence de la peinture classique, peut-être
le résultat serait-il inverse — ou encore, ou plutôt,
nous retrouverions sous l'étroitesse des peintres classiques leur profondeur tacite et de nouveau peinture
et langage apparaîtraient égaux dans le prodige de
l'expression.

Tous les hommes ne peignent pas, il est vrai, au
lieu que tous les peintres parlent, et bien au-delà
des besoins de la vie, et même de leur peinture.
L'homme se sent *chez lui* dans le langage comme il
ne sera jamais dans la peinture. Le langage ordinaire
ou les données de la langue lui procurent l'illusion
d'une expression absolument transparente et qui a
atteint son but. Mais après tout l'art, lui aussi, passe
dans les mœurs, il est capable de la même évidence
mineure, après un temps il se généralise, et ce qu'il
peut rester de surréalisme dans les devantures de
nos magasins vaut à peu près ce qu'il peut rester de
vraie philosophie ou de vraie science dans le langage
du sens commun, et même ce qu'il peut rester de
Platon dans Aristote ou de Descartes dans Hegel.
S'il est légitime de mettre à l'actif du langage non
seulement les langues, mais aussi la parole, il faudrait, pour être équitable, compter à l'actif de la
peinture, non seulement les actes d'expression enre-
gistrés, c'est-à-dire les tableaux, mais encore la vie
continuée de son passé dans le peintre au travail.
L'infériorité de la peinture tiendrait alors à ce qu'elle

ne s'enregistre qu'en œuvres et ne peut venir à fonder les rapports quotidiens des hommes, tandis que la vie du langage, parce qu'il use de mots tout faits et d'une matière sonore dont chacun de nous est riche, se donne le commentaire [perpétuel?] de la langue parlée. Nous ne contestons pas le propre de la sédimentation « langagière » : le pouvoir, propre aux formes critiques du langage, sinon de détacher les significations des signes, le concept du geste linguistique, du moins de trouver, pour la même signification, plusieurs corps expressifs, de recouper et de reprendre l'une par l'autre ses opérations successives ou simultanées et ainsi de les relier toutes en une seule configuration, en une seule vérité. Nous disons seulement que ce système, s'il déplace le centre de gravité de notre vie, institue, pour tout ce que nous pouvons lire, une instance de vérité dont le ressort ne peut être limité, et fait ainsi apparaître la peinture comme un mode d'expression « muet » et subordonné, n'est pourtant pas affranchi des limites propres à l'expression sensible, ne fait que les reporter plus loin, et que la « lumière naturelle » qui nous le découvre est celle même qui rend visible le sens du tableau et pas plus que lui ne récupère le monde sans reste; de sorte que, quand le langage est devenu assez conscient de soi pour s'en apercevoir, quand il veut paradoxalement désigner et nommer la signification sans aucun signe, ce qu'il croit être le comble de la clarté et qui en serait l'évanouissement, enfin ce que Claudel appelle « Sigè l'abîme » — il lui faut renoncer à être la sphère de Parménide ou la transparence d'un cristal dont tous les côtés sont visibles à la fois, et redevenir un monde culturel,

avec ses facettes identifiables, mais aussi ses fissures
et ses lacunes.

Il nous faut donc dire du langage par rapport au
sens ce que Simone de Beauvoir dit du corps par
rapport à l'esprit : qu'il n'est ni premier, ni second.
On n'aime pas par principes et s'il y a eu des philo-
sophes pour faire, contre l'amour, l'éloge du mariage,
du moins n'ont-ils pas prétendu définir l'amour par
le mariage. Personne donc n'a jamais osé mettre
vraiment l'âme dans le corps comme le pilote en son
navire, ni faire du corps un instrument. Et comme
ce n'est pas davantage le corps tout seul qui aime
(il arrache à ceux qui ne voudraient vivre que de
lui des gestes de tendresse qui vont au-delà de lui)
il est nous et il n'est pas nous, il fait tout et il ne
fait rien. Ni fin ni moyen, il est toujours mêlé à des
entreprises qui le dépassent, toujours jaloux de son
autonomie, assez puissant pour s'opposer à toute fin
qui ne serait que délibérée, il n'en a aucune à nous
proposer si enfin nous nous tournons vers lui et le
consultons. Quelquefois, et c'est alors que nous avons
le sentiment d'être nous-mêmes, il se prête vraiment
à ce que nous voulons, il se laisse animer, il prend à
son compte une vie qui n'est pas seulement la sienne;
alors, il est heureux et spontané, et nous le sommes.
Le langage, lui aussi, n'est pas au service du sens, et
ne gouverne pas le sens; de l'un à l'autre il n'y a pas
de subordination, ni de distinction que seconde. Ici
personne ne commande et personne n'obéit; en parlant ou en écrivant nous ne nous référons pas à
quelque *chose à dire* qui soit devant nous, distincte
de toute parole, ce que nous avons à dire n'est que
l'excès de ce que nous vivons sur ce qui a déjà été

dit. Nous nous installons, avec notre appareil de langage, dans une certaine situation du savoir et de l'histoire à laquelle il est sensible, et nos énoncés ne sont que le bilan final de ces échanges. La pensée politique, en dépit des apparences, est du même ordre : c'est toujours l'élucidation d'une perception historique où jouent toutes nos connaissances, toutes nos expériences, toutes nos valeurs et dont nos thèses sont la formulation schématique. Toute action et toute connaissance qui ne passent pas par cette élaboration, qui voudraient poser ex nihilo des valeurs qui n'aient pas puisé dans notre histoire individuelle et collective, ce qui ferait du calcul des moyens un procédé de pensée tout technique, ramène la connaissance et la pratique en deçà des problèmes qu'elles voulaient résoudre. La vie personnelle, la connaissance et l'Histoire n'avancent qu'obliquement, et non pas tout droit et immédiatement vers des fins ou des concepts. Ce qu'on cherche trop délibérément, on ne l'obtient pas, et les idées, les valeurs sont au contraire données par surcroît à celui qui a su en délivrer la source, c'est-à-dire comprendre ce qu'il vit. Elles ne s'offrent d'abord à notre vie signifiante et parlante que comme des noyaux résistants dans un milieu diffus, elles ne se définissent et ne se circonscrivent, comme les choses perçues, que par la complicité d'un fond, et supposent autant d'ombre que de lumière. Il ne faut même pas dire que les fins ici prescrivent les moyens; elles ne sont rien d'autre que leur style commun, elles sont le sens total des moyens de chaque jour, ils sont la figure momentanée de ce sens. Et même les plus pures vérités supposent des vues marginales, ne sont pas

tout entières au centre de vision claire, et doivent
leur sens à l'horizon que ménagent autour d'elles la
sédimentation et le langage.

Peut-être le lecteur dira-t-il ici que nous le laissons sur sa faim et que nous nous bornons à un «c'est
ainsi » qui n'explique rien. Mais c'est que l'explication consiste à rendre clair ce qui était obscur, à
juxtaposer ce qui était impliqué : elle a donc son
lieu propre dans la connaissance de la nature à ses
débuts, quand elle croit justement avoir affaire à
une Nature pure. Mais quand il s'agit de la parole
ou du corps ou de l'histoire, sous peine de détruire
ce qu'elle cherche à comprendre, et d'aplatir par
exemple le langage sur la pensée ou la pensée sur le
langage, on ne peut que donner à voir le paradoxe
de l'expression. La philosophie est l'inventaire de
cette dimension à vrai dire universelle, où principes
et conséquences, moyens et fins font cercle. Elle ne
peut, en ce qui touche au langage, que montrer
du doigt comment, par la « déformation cohérente »
des gestes et des sons, l'homme en vient à parler
une langue anonyme, et par la « déformation cohérente » de cette langue à exprimer ce qui n'existait
que pour lui.

L'algorithme
et le mystère du langage

Nous avons plusieurs fois contesté que le langage ne fût lié à ce qu'il signifie que par l'habitude et la convention : il en est beaucoup plus proche et beaucoup plus éloigné. En un sens il tourne le dos à la signification, il ne s'en soucie pas. C'est moins un barème d'énoncés satisfaisants pour des pensées bien conçues qu'un foisonnement de gestes tout occupés de se différencier l'un de l'autre et de se recouper. Les phonologues ont admirablement vu cette vie sublinguistique dont toute l'industrie est de différencier et de mettre en système des signes, et cela n'est pas vrai seulement des phonèmes avant les mots, c'est vrai aussi des mots et de toute la langue, qui n'est pas d'abord signe de certaines significations, mais pouvoir réglé de différencier la chaîne verbale selon des dimensions caractéristiques de chaque langue. En un sens, le langage n'a jamais affaire qu'à lui-même : dans le monologue intérieur comme dans le dialogue il n'y a pas de « pensées » : ce sont des paroles que les paroles suscitent et, dans la mesure même où nous « pensons » plus pleinement, les paroles remplissent si exactement notre esprit qu'elles n'y laissent pas un coin vide pour des pensées pures et pour des significations qui ne soient pas langagières. Le mystère est que, dans le moment même où le langage est ainsi obsédé de lui-même, il lui est donné, comme par surcroît, de nous ouvrir à une signification. On dirait que c'est une loi de l'esprit de ne trouver que ce qu'il n'a pas cherché. Dans un instant ce flot de paroles s'annule comme bruit, nous jette en plein à ce qu'il veut dire, et, si nous y répondons par des paroles encore, c'est sans le vouloir : nous ne pensons pas plus aux *mots* que nous disons ou qu'on nous dit qu'à la main même que nous serrons : elle n'est pas un paquet d'os et de chair, elle n'est plus que la présence même d'autrui. Il y a donc une singulière signification du langage, d'autant plus évidente que nous nous abandonnons davantage à lui, d'autant moins équivoque que nous pensons moins à elle, rebelle à toute prise directe, mais docile à l'incantation du langage, toujours là quand on s'en remet à lui de l'évoquer, mais toujours un peu plus loin que le point où nous croyons la cerner. Comme Paulhan le dit parfaitement, elle consiste en « lueurs sensibles à qui les voit, cachées à qui les regarde », et le langage est fait de « gestes qui ne s'accomplissent pas sans quelque négligence [1] ». Il est le premier à avoir vu que la parole en exercice ne se contente pas de désigner des pensées comme un numéro, dans la rue, désigne la maison de mon ami Paul, — mais vraiment se métamorphose en elles comme elles se métamorphosent en lui : « métamorphose par quoi les mots cessent d'être accessibles à nos sens et

(marginalia manuscrite : ERREUR EN ANGLAIS)

---

1. *Les Fleurs de Tarbes*, p. 177.

perdent leur poids, leur bruit, et leurs lignes, leur espace (pour devenir pensées). Mais la pensée de son côté renonce (pour devenir mots) à sa rapidité ou sa lenteur, à sa surprise, à son invisibilité, à son temps, à la conscience intérieure que nous en prenions [1] ». Tel est bien le mystère du langage.

Mais le mystère ne nous condamne-t-il pas au silence? Si le langage est comparable à ce point de l'œil dont parlent les physiologistes, et qui nous fait voir toutes choses, il ne saurait, de toute évidence, se voir lui-même et l'on ne peut pas l'observer. S'il se dérobe à qui le cherche et se donne à qui l'avait renoncé, on ne peut le considérer en face, il ne reste plus qu'à le « penser de biais », à « mimer » ou à « manifester » son mystère [2], il ne reste plus qu'à être langage, et Paulhan semble s'y résigner. Pourtant, cela n'est pas possible, et selon ses propres principes. On ne peut plus *être* simplement le langage après qu'on l'a mis en question : c'est sciemment qu'on reviendrait à lui et, Paulhan l'a dit, il n'admet pas ces hommages mesurés. Au point de réflexion où Paulhan est parvenu, il ne peut plus retrouver l'usage innocent du langage qu'à un second degré du langage, et *en parlant de lui*, ce qui s'appelle philosophie. Même si ce n'est que pour « mimer » ou « manifester » le langage, nous en parlerons, et celui *dont* nous parlerons n'étant pas celui *qui* en parle, ce que nous en dirons n'en sera pas la définition suffisante. Au moment où nous croyons saisir le monde, comme il est sans nous, ce n'est plus lui que nous saisissons puisque nous sommes là pour le saisir. De même il

1. *Clef de la Poésie*, 2ᵉ éd., N.R.F., 1944, p. 86.
2. *Ibid.*, p. 11.

restera toujours, derrière nos propos sur le langage,
plus de langage vivant qu'ils ne réussiront à en figer
sous notre regard. Cependant la situation ne serait
sans issue, ce mouvement de régression ne serait
vain et vaine avec lui la philosophie, que s'il s'agissait d'expliquer le langage, de le décomposer, de
le déduire, de le fonder, ou de toute autre opération
qui en dérive la clarté propre d'une source étrangère. Alors, la réflexion se donnerait toujours, étant
réflexion, donc parole, ce qu'elle prétend prendre
pour thème, et serait par principe incapable d'obtenir ce qu'elle cherche. Mais il y a une réflexion et
il y a une philosophie qui ne prétend pas constituer
son objet, ou rivaliser avec lui, ou l'éclaircir d'une
lumière qui ne soit déjà sienne. On me parle et je
comprends. Quand j'ai le sentiment de n'avoir à
faire qu'à des *mots*, c'est que l'expression est manquée, et au contraire, si elle est réussie, il me semble
que je pense là-bas, à voix haute, dans ces mots que
je n'ai pas dits. Rien n'est plus convaincant que
cette expérience, et il n'est pas question de chercher
ailleurs qu'en elle ce qui la rend incontestable, de
remplacer l'opération de la parole par quelque pure
opération d'esprit. Il est seulement question — et
c'est toute la philosophie — de monnayer cette évidence, de la confronter avec les idées toutes faites
que nous avons du langage, de la pluralité des esprits,
de la rétablir justement dans sa dignité d'évidence,
qu'elle a perdue par l'usage même du langage et
parce que la communication nous paraît aller de soi,
de lui rendre, en lui fournissant un fond convenable,
sur lequel elle puisse se détacher, ce qu'elle a de
paradoxal et même de mystérieux — enfin de la

conquérir comme évidence, ce qui n'est pas seulement l'exercer, ce qui en est même le contraire... Le meilleur moyen de garder au langage le sens prodigieux qu'on lui a trouvé n'est pas de le taire, de renoncer à la philosophie et de revenir à la pratique immédiate du langage : c'est alors que le mystère dépérirait dans l'accoutumance. Le langage ne reste énigmatique que pour qui continue de l'interroger, c'est-à-dire d'en parler. Paulhan lui-même met quelquefois le doigt dans cet engrenage. Il parle quelque part [1] d'une « projection » de moi en autrui ou d'autrui en moi qui se ferait par le langage. Mais c'est déjà là beaucoup de philosophie. Le petit mot de projection nous entraînera à une théorie des rapports du sens et des mots. On essaiera bien de l'entendre comme un raisonnement analogique qui me ferait retrouver *mes* pensées dans les paroles d'autrui. Mais ce n'est que repousser plus loin le problème, puisque je suis capable de comprendre cela même que je n'ai jamais exprimé. Il faudra donc en venir à une autre idée de la projection, selon laquelle la parole d'autrui non seulement réveille en moi des pensées déjà formées, mais encore m'entraîne dans un mouvement de pensée dont je n'aurais pas été capable à moi seul, et m'ouvre finalement à des significations étrangères. Il faut donc ici que j'admette que je ne vis pas seulement ma propre pensée mais que, dans l'exercice de la parole, je *deviens* celui que j'écoute. Et il faut que je comprenne finalement comment la parole peut être prégnante d'un sens. Tâchons donc, non pas d'expliquer cela, mais de constater plus pré-

---

1. *Les Fleurs de Tarbes*, pp. 115 et suiv.

cisément la puissance parlante, de cerner cette signification qui n'est rien d'autre que le mouvement
unique dont les signes sont la trace visible.

Peut-être la verrons-nous mieux, si nous réussis-
sons à la retrouver jusque dans les cas où le langage
s'astreint à ne plus rien dire qui n'ait été volontaire-
ment et exactement défini, à ne rien désigner dont
il n'ait déjà pris possession, nie son propre passé
pour se reconstruire comme algorithme, et où donc
en *principe* la vérité n'est plus cet esprit flottant,
partout présent et jamais localisable, qui habite
le langage de la littérature et de la philosophie,
mais une sphère immuable de relations qui n'étaient
pas moins vraies avant nos formulations et ne le
seraient pas moins si tous les hommes et leur langage
venaient à disparaître. Dès que les nombres entiers
apparaissent dans l'histoire humaine, ils s'annoncent
par certaines propriétés qui dérivent clairement de
leur définition; toute propriété nouvelle que nous
leur trouvons, puisqu'elle dérive aussi de celles qui
ont servi d'abord à les circonscrire, nous paraît
aussi ancienne qu'elles, contemporaine du nombre
lui-même; enfin de toute propriété encore inconnue
que l'avenir dévoilera, il nous semble qu'on doit
dire qu'elle *appartient* déjà au nombre entier; même
quand on ne savait pas encore que la somme des
n premiers nombres entiers est égale au produit
de $\frac{n}{2}$ par $n + 1$, cette relation n'existait-elle pas
entre eux? Si le hasard avait fait qu'on multi-
pliât $\frac{n}{2}$ par $n + 1$, n'aurait-on pas trouvé un résultat

égal à la somme des *n* premiers nombres entiers, et cette coïncidence ne résultait-elle pas d'ores et déjà de la structure même de la série, qui devait dans la suite la fonder en vérité? Je n'avais pas encore remarqué [1] que la série des 10 premiers nombres entiers est composée de 5 couples de nombres dont la somme est constante et égale à 10 + 1. Je n'avais pas encore compris que cela même est exigé par la nature de la série, où la croissance de 1 à 5 obéit exactement au même rythme que la décroissance de 10 à 6. Mais enfin, avant que j'eusse reconnu ces rapports, le 10 augmenté d'une unité était égal au 9 augmenté du 2, au 8 augmenté du 3, au 7 augmenté du 4, au 6 augmenté du 5, et la somme de ces sommes à celle des dix premiers nombres entiers. Il semble que les changements d'aspect que j'introduis dans cette série en la considérant sous ce nouveau biais soient d'avance contenus dans les nombres eux-mêmes, et que, quand *j'exprime* les rapports inaperçus jusque-là, je me borne à les prélever sur une réserve de vérités qui est le monde intelligible des nombres. Quand j'introduis dans un dessin un trait nouveau qui en change la signification — qui, par exemple, métamorphose un cube vu en perspective en un carrelage de cuisine — ce n'est plus le même objet qui est devant moi. Quand le chimpanzé qui veut atteindre un but hors de ses prises cueille une branche d'arbre pour s'en servir comme d'un bâton ou emprunte un escabeau pour s'en servir comme d'une échelle, sa conduite montre

1. L'exemple est donné et analysé dans ces termes par Wertheimer, in *Productive Thinking,* Harper and brothers ed., New York and London, 1945.

assez que la branche dans sa nouvelle fonction ne
reste plus branche pour lui, que l'escabeau cesse
définitivement d'être un siège pour devenir une
échelle : la transformation est irréversible, et ce
n'est pas ici le *même* objet qui est traité tour à tour
selon deux perspectives, c'est une branche qui devient
un bâton, c'est un escabeau qui devient une échelle
comme un coup sur le kaléïdoscope fait paraître
un spectacle nouveau sans que je puisse y reconnaître
l'ancien. Entre les structurations perceptives ou celles
de l'intelligence pratique et les constructions de la
connaissance qui ouvrent sur une vérité, il y a
cette différence que les premières, même quand
elles résolvent un problème et répondent à une
interrogation du désir, ne reconnaissent qu'aveuglément dans le résultat cela même qu'elles préparaient.
Elles relèvent du *je peux*, la vérité relève d'un
je pense, d'une reconnaissance intérieure qui tra-
verse selon sa longueur la succession des événements
connaissants, la fonde en valeur, la pose comme
exemplaire et comme réitérable par principe pour
toute conscience placée dans la même situation de
connaissance. Mais si la vérité, pour rester vérité,
suppose ce consentement de soi à soi, cette intériorité
à travers le temps, l'opération expressive qui tire
de S n la formule $\frac{n}{2}$ $(n + 1)$ doit être garantie
par l'immanence du nouveau dans l'ancien. Il ne
suffit plus que le mathématicien traite les rapports donnés selon certaines recettes opératoires pour
les transformer dans le sens des rapports cherchés,
comme le chimpanzé traite la branche d'arbre selon
qu'il lui est utile de le faire pour atteindre le but;

si elle doit échapper à la contingence de l'événement, et dévoiler une vérité, il faut que l'opération elle-même soit légitimée par la nature de l'être mathématique sur lequel elle porte. Il semble donc qu'on ne puisse rendre compte du savoir exact qu'à condition d'admettre, au moins dans ce domaine, une pensée qui de soi à soi abolisse toute distance, qui enveloppe l'opération expressive de sa clarté souveraine et résorbe dans l'algorithme l'obscurité congénitale du langage. Au moins ici, la signification cesse d'avoir avec les signes le rapport louche dont nous avons parlé : dans le langage, elle fusait à la jointure des signes, à la fois liée à leur agencement charnel et mystérieusement éclose derrière eux; elle éclatait au-delà des signes et n'était pourtant que leur vibration, comme le cri transporte au dehors et rend présent pour tous le souffle même et la douleur de celui qui crie. Dans la pureté de l'algorithme, elle se dégage de toute compromission avec le déroulement des signes qu'elle commande et légitime, et, du même coup, ils lui correspondent si exactement que l'expression ne laisse rien à désirer et qu'elle nous paraît contenir le sens même; les rapports brouillés de la transcendance font place aux rapports propres d'un système de signes qui n'ont pas de vie intérieure et d'un système de significations qui ne descendent pas dans l'existence animale.

Nous n'avons pas l'intention de contester le caractère de *vérité* qui distingue les énoncés de la science exacte, ni ce qu'il y a d'incomparable dans le moment où, reconnaissant une vérité, je touche à quelque chose qui n'a pas commencé et ne finira pas de

signifier avec moi. Cette expérience d'un événement
qui soudain se creuse, perd son opacité, révèle une
transparence et se fait sens pour toujours, elle est
constante dans la culture et dans la parole, et,
si l'on voulait la contester, on ne saurait plus même
ce que l'on cherche. Il s'agit seulement d'en découvrir
les implications et de rechercher en particulier si
elle est, par rapport à la parole, originaire ou dérivée
— plus précisément : s'il n'y a pas, jusque dans la
science exacte, entre les signes institués et les significations *vraies* qu'ils dénotent, une parole instituante
qui porte tout. Quand nous disons que les propriétés
nouvellement découvertes d'un être mathématique
sont aussi vieilles que lui, ces termes mêmes de
propriété et d'*être* renferment déjà toute une interprétation de notre expérience de vérité. A la rigueur,
nous voyons seulement que certaines relations supposées données entraînent avec nécessité d'autres
relations, et c'est parce que nous avons choisi les
premières pour principe et pour définition de l'objet
que les autres nous apparaissent comme *leurs* conséquences. Tout ce que nous avons le droit de dire
c'est qu'il y a solidarité de principe entre elles,
c'est qu'il y a des liens indestructibles, que, si telles
relations sont supposées, telles autres le sont aussi,
que telles et telles relations sont synonymes. Cela
fait bien entre elles une équivalence qui ne dépend
pas de sa manifestation, cela permet bien de dire
qu'elles constituent un système qui ignore le temps,
mais les nouveaux rapports ne peuvent avoir d'autre
sens d'être que ceux dont ils dérivent, et, de ceux-ci,
nous ne savons toujours pas s'ils *sont* autrement que
d'une existence mathématique, c'est-à-dire comme

purs rapports qu'il nous plaît de considérer. Nous savons désormais que, libres de proposer à notre examen différents objets, différents espaces, par exemple, nous ne le sommes pas, une fois l'objet suffisamment déterminé, d'en dire n'importe quoi. Et c'est bien là une nécessité que notre esprit rencontre, mais la figure sous laquelle elle lui apparaît dépend du point de départ qu'il a choisi : ce qui est constaté, ce n'est pas que tel être mathématique nous impose telles propriétés qui seraient siennes, c'est seulement qu'il faut un point de départ et que, tel point de départ une fois choisi, notre arbitraire se termine là, et rencontre sa limite dans l'enchaînement des conséquences. Rien ne nous montre que cette résistance à l'arbitraire sous les différentes formes qu'elle peut revêtir se ramène à l'opération d'une essence qui développe ses propriétés. Au lieu de dire que nous constatons certaines *propriétés* des *êtres* mathématiques, on dirait plus exactement que nous constatons la possibilité de principe d'enrichir et de préciser les rapports qui ont servi à définir notre objet, de poursuivre la construction d'ensembles mathématiques cohérents seulement ébauchés par nos définitions. Et certes cette possibilité n'est pas rien, cette cohérence n'est pas fortuite, cette validité n'est pas illusoire, mais elle ne permet pas de dire que les relations nouvelles fussent vraies *avant* d'être révélées, ni que les premières relations établies portent dans l'existence les suivantes. On ne peut le faire que si l'on hypostasie les premières en quelque réalité physique : le cercle tracé sur le sable *avait* déjà des rayons égaux, le triangle une somme d'angles égale à deux droits... et toutes les autres propriétés

que la géométrie devait dégager. Si nous pouvions
soustraire de notre conception de l'être mathématique tout support de ce genre, il ne nous apparaîtrait
pas comme intemporel; mais plutôt comme un devenir de connaissance.

Ce devenir n'est pas fortuit. Chacune des démarches qui le jalonne est *légitime*, elle n'est pas
un événement quelconque, elle est prescrite, elle
est en tout cas justifiée après coup par les démarches
précédentes, et si l'essence n'est pas au principe
de notre science, elle lui est présente en tout cas
comme son but, et le devenir de la connaissance
marche vers la totalité d'un sens. C'est vrai, mais
l'essence comme avenir de savoir n'est pas une
essence, c'est ce que l'on appelle une structure.
Son rapport à la connaissance effective est celui
de la chose perçue à la perception. La perception,
qui est événement, ouvre sur une chose perçue
qui lui apparaît comme antérieure à elle, comme
vraie avant elle. Et si elle réaffirme toujours la
préexistence du monde, c'est justement *parce qu'elle*
est événement, parce que le sujet qui perçoit est
déjà engagé dans l'être par des *champs perceptifs*,
des « sens », plus généralement un corps qui est
fait pour explorer le monde. Ce qui vient stimuler
l'appareil perceptif réveille entre lui et le monde
une familiarité primordiale, que nous exprimons
en disant que le perçu existait avant la perception.
D'un seul coup, les données actuelles signifient bien
au-delà de ce qu'elles apportent, trouvent dans le
sujet qui perçoit un écho démesuré, et c'est ce qui
leur permet de nous apparaître comme perspectives
sur une chose actuelle, alors que l'explicitation de

cette chose irait à l'infini et ne saurait être achevée. La vérité mathématique, ramenée à ce que nous constatons vraiment, n'est pas d'une autre sorte. Si nous sommes presque irrésistiblement tentés, pour penser l'essence du cercle, d'imaginer un cercle tracé dans le sable qui *a* déjà toutes *ses* propriétés, c'est que notre notion même de l'essence est formée au contact et à l'imitation de la chose perçue telle que la perception nous la présente : plus vieille que la perception même, en soi, être pur avant le sujet. Et comme ce n'est pas, dans la perception, une contradiction, mais au contraire sa définition même, d'*être* un événement et d'*ouvrir sur* une vérité, il nous faut aussi comprendre que la vérité, au service des mathématiques, s'offre à un sujet déjà engagé en elle, et profite des liens charnels qui l'unissent à elle.

Ceci n'est pas réduire l'évidence des mathématiques à celle de la perception. Nous ne nions certes pas, on va le voir, l'originalité de l'ordre de la connaissance à l'égard de l'ordre du perçu. Nous essayons seulement de défaire le tissu intentionnel qui relie l'un à l'autre, de retrouver les voies de la sublimation qui conserve et transforme le monde perçu dans le monde parlé, et cela n'est possible que si nous décrivons l'opération de parole comme une reprise, une reconquête de la thèse du monde, analogue dans son ordre à la perception et différente d'elle. Le fait est que toute idée mathématique se présente à nous avec le caractère d'une construction après coup, d'une re-conquête. Jamais les constructions de la culture n'ont la solidité des choses naturelles, jamais elles ne sont là comme elles; il y a chaque matin, après la rupture de la nuit, un contact à reprendre avec elles; elles restent impalpables, elles flottent dans l'air de la ville, mais la campagne ne les contient pas. Si cependant, en pleine pensée, les vérités de la culture nous paraissent la mesure de l'être et si tant de philosophies font reposer le monde sur elles, c'est que la connaissance continue sur la lancée de la perception, c'est qu'elle utilise la thèse du monde qui en est le son fondamental. Nous croyons que la vérité est éternelle parce qu'elle exprime le monde perçu et que la perception implique un monde qui fonctionnait avant elle selon des principes qu'elle retrouve et qu'elle ne pose pas. C'est d'un seul mouvement que la connaissance s'enracine dans la perception et qu'elle s'en distingue. Elle est un effort pour ressaisir, intérioriser, posséder vraiment un sens qui fuit à travers la perception en même temps qu'il s'y forme, parce qu'elle n'a d'intérêt que pour l'écho que l'être tire d'elle-même, non pour ce résonateur, ce son autre, qui rend possible l'écho. La perception nous ouvre à un monde déjà constitué, et ne peut que le re-constituer. Ce redoublement signifie à la fois que le monde s'offre comme antérieur à la perception et que nous ne nous bornons pas à l'enregistrer, que nous voudrions l'engendrer. Déjà le sens du perçu est l'ombre portée des opérations que nous nous apprêtons à exécuter sur les choses, il n'est rien d'autre que notre relèvement sur elles, notre situation envers elles. Chaque vecteur du spectacle perçu pose, au-delà de son aspect du moment, le principe de certaines équivalences dans les variations possibles du spectacle, il inaugure pour sa part un *style* de l'explicitation des objets et un *style* de nos mouvements par rapport à eux. Ce langage muet ou opérationnel de la perception met en mouvement un processus de connaissance qu'il ne suffit pas à accomplir. Si ferme que soit ma prise perceptive sur le monde, elle est toute dépendante du mouvement centrifuge qui me jette vers lui, et je ne le reprendrai jamais qu'à condition de poser moi-même et spontanément des dimensions nouvelles de sa signification. Ici commence la parole, le style de connaissance, la vérité au sens des logiciens. Elle est appelée, depuis son premier moment, par l'évidence perceptive, elle la continue, elle ne s'y réduit pas.

Une fois mise en évidence la référence à la thèse du monde — toujours sous-entendue par la pensée mathématique, et qui lui permet de se donner comme le reflet d'un monde intelligible — comment pouvons-nous comprendre la vérité mathématique et surtout — c'est notre but — l'expression algorithmique qu'elle se donne? Il est clair d'abord que les « propriétés » de la série des nombres entiers ne sont pas « contenues » dans cette série. Une fois dégagée de l'analogie perceptive qui fait d'elle un « quelque chose » *(etwas überhaupt)* elle n'est rien d'autre à chaque moment que l'ensemble des relations qui ont été établies à son sujet *plus un horizon ouvert de relations à construire*. Cet horizon n'est pas le mode de présentation d'un être mathématique en soi achevé : à chaque moment, il n'y a vraiment rien d'autre dans le ciel et sur la terre que les propriétés connues du nombre entier. On peut dire, si l'on veut, que les propriétés inconnues sont déjà opérantes dans les ensembles d'objets qui incarnent les nombres,

mais ce n'est là qu'une manière de parler : on veut
exprimer par là que tout ce qui se révélera des
nombres sera aussitôt vrai des choses nombrées, ce
qui est bien certain, mais n'entraîne aucune préexistence du vrai. La relation nouvelle $\frac{n}{2}$ $(n + 1)$,
cette signification nouvelle de la série des nombres
entiers y apparaît à condition qu'on reconsidère et
qu'on restructure Sn. Il faut que je m'avise que le
progrès de 1 à 5 est exactement symétrique de la
régression de 10 à 5, qu'ainsi j'en vienne à concevoir
une valeur constante des sommes 10 + 1, 9 + 2,
8 + 3, etc., et qu'enfin je décompose la série en
couples chaque fois égaux à $n + 1$ et dont le nombre
ne saurait être égal qu'à $\frac{n}{2}$. Certes, ces transformations qui sont, à l'intérieur d'un objet arithmétique,
l'équivalent d'une construction en géométrie, elles
sont toujours possibles; je m'assure qu'elles ne
tiennent pas à quelque accident, mais aux éléments
de structure qui définissent la série des nombres,
— et en ce sens elles en résultent. Mais *elles n'en
font pas partie*, elles n'apparaissent que devant une
certaine interrogation que j'adresse à la *structure* de
la série des nombres ou plutôt qu'elle me propose
en tant qu'elle est situation ouverte et à achever, en
tant qu'elle s'offre comme *à connaître*. L'opération
par laquelle j'exprime Sn dans les termes $\frac{n}{2}$ $(n + 1)$
n'est possible que si dans la formule finale j'aperçois la double fonction de n, d'abord comme nombre
cardinal, ensuite, comme nombre ordinal. Ce n'est

pas une de ces transformations aveugles par lesquelles je pourrai ensuite passer $à \dfrac{n+1}{2}\, n$ ou à $\dfrac{n\,(n+1)}{2}$ ou à $\dfrac{n^2+n}{2}$. J'aperçois que $\dfrac{n}{2}\,(n+1)$ résulte de Sn à raison de la structure de Sn, c'est alors que j'apprends ce que c'est qu'une vérité mathématique. Et, même si dans la suite j'exploite la formule obtenue par les procédés mécaniques de calcul, il ne s'agira là que d'une opération seconde et mineure, qui ne nous enseigne pas ce que c'est que la vérité. Rien ne serait changé à ce que nous avançons là s'il était possible de constituer un algorithme qui exprimât par des relations logiques les propriétés de structure de la série des nombres entiers : du moment que ces relations formelles fourniraient — et c'est l'hypothèse — un équivalent exact de la structure du nombre, elles seraient, comme cette dernière, l'occasion de construire la relation nouvelle, plutôt qu'elles ne la contiendraient. Notre but n'est pas ici de montrer que la pensée mathématique s'appuie sur le sensible, mais qu'elle est créatrice et l'on peut le faire aussi bien à propos d'une mathématique formalisée. Puisque la construction de la conséquence est une démonstration et ne s'appuie que sur ce qui définit le nombre entier, je pourrai bien dire, lorsqu'elle est achevée, que la formule obtenue est exigée par les formules initiales, ou la signification nouvelle de la série par cette série même. Mais c'est une illusion rétrospective. C'est ainsi que ma connaissance présente voit son propre passé, ce n'est pas ainsi qu'il a été, même dans l'envers des choses. Les conséquences n'étaient pas immanentes à l'hypothèse :

elles n'étaient que prétracées dans la structure comme
système ouvert et engagé dans le devenir de ma
pensée, et lorsque je remanie cette structure selon
ses propres vecteurs, c'est plutôt la nouvelle configuration qui reprend et sauve l'ancienne, la contient
éminemment, s'identifie avec elle ou la reconnaît
comme indiscernable de soi. C'est de mon mouvement de connaissance que résulte la synthèse, bien
loin qu'elle le rende possible. Les géométries non
euclidiennes contiennent celle d'Euclide comme cas
particulier, mais non l'inverse. L'essentiel de la pensée mathématique est donc à ce moment où une
structure se décentre, s'ouvre à une interrogation,
et se réorganise selon un sens neuf qui pourtant est
le sens de cette même structure. La vérité du résultat,
sa valeur indépendante de l'événement tient à ce
qu'il ne s'agit pas d'un *changement* où les relations
initiales périssent pour être remplacées par d'autres
dans lesquelles elles ne seraient pas reconnaissables,
mais d'une restructuration qui, d'un bout à l'autre,
se sait, est en concordance avec elle-même, qui était
annoncée par les vecteurs de la structure donnée,
par son style, si bien que chaque changement effectif
vient remplir une intention, chaque anticipation
reçoit de la construction l'accomplissement qu'elle
attend. Il s'agit là d'un véritable *devenir du sens*,
où le *devenir* n'est plus succession objective, transformation de fait, mais un devenir soi-même, un
devenir sens. Quand je dis qu'il y a ici vérité, cela
ne signifie pas que j'éprouve, entre l'hypothèse et la
conclusion, une relation d'identité qui ne laisserait
rien à désirer, ou que je voie l'une dériver de l'autre
dans une transparence absolue : il n'est pas de signi-

fication qui ne s'entoure d'un horizon de convictions naïves et donc n'appelle d'autres explicitations, pas d'opération expressive qui épuise son objet, et les démonstrations d'Euclide avaient leur rigueur quoiqu'elles fussent toujours grevées d'un coefficient de facticité, appuyées à une intuition massive de l'espace qui ne devait être thématisée que plus tard. Pour qu'il y ait vérité, il faut et il suffit que la restructuration qui donne le sens nouveau reprenne vraiment la structure initiale, quoi qu'il en soit de ses lacunes ou de ses opacités. De nouvelles thématisations, dans la suite, viendront combler les lacunes et dissoudre les opacités, mais, outre qu'elles seront elles-mêmes partielles, elles ne feront pas que, supposé un triangle euclidien, il n'ait les propriétés que l'on sait ; les transformations légitimes qui conduisent de l'univers euclidien à ses propriétés ne cesseront pas d'être quelque chose qui se comprend, et qui est seulement à traduire dans un langage plus général. Le lieu propre de la vérité est donc cette reprise de l'objet de pensée dans sa signification nouvelle, même si l'objet garde encore, dans ses replis, des relations que nous utilisons sans les apercevoir. Le fait est qu'à ce moment quelque chose est acquis, il y a du vrai, la structure se propulse vers ces transformations. Et la conscience de vérité avance comme l'écrevisse, tournée vers son point de départ, vers cette structure *dont* elle exprime la signification. Telle est l'opération vivante qui soutient les signes de l'algorithme. Si l'on n'en considère que le résultat, on peut croire qu'elle n'a rien créé : dans la formule $\frac{n}{2}(n+1)$ n'entrent que des termes empruntés à l'hypothèse, reliés par les opérations de l'algèbre. La signification nouvelle est représentée par les signes et les significations donnés, sans que ceux-ci, comme il arrive dans le langage, soient détournés de leur sens initial. L'expression algorithmique est *exacte* à cause de l'exacte équivalence qu'elle établit entre les relations données et celles qu'on en conclut. Mais la formule nouvelle n'est formule *de* la nouvelle signification, ne l'exprime vraiment qu'à condition que nous donnions par exemple au terme *n* d'abord le sens ordinal, ensuite le sens cardinal, et ceci n'est possible que si nous nous référons à la configuration de la série des nombres sous l'aspect nouveau que notre interrogation vient de lui donner. Or, ici reparaît le *bougé* de la restructuration qui est caractéristique du langage. Nous l'oublions ensuite, lorsque nous avons réussi à trouver la formule, et nous croyons alors à la préexistence du vrai. Mais il est toujours là, lui seul donne sens à la formule. L'expression algorithmique est donc seconde. C'est un cas particulier de la parole. Nous croyons que les signes ici recouvrent exactement l'intention, que la signification est conquise sans reste, et qu'enfin le style qui prescrivait à la structure les transformations que nous lui avons apportées est entièrement dominé par nous. Mais c'est parce que nous omettons de mentionner le dépassement de la structure vers ses transformations. Et certes, il est toujours possible par principe, puisque nous ne considérons que les invariants de la structure étudiée, non les particularités contingentes d'un tracé ou d'une figure. Mais c'est un dépassement, ce n'est pas une identité immobile, et ici, comme dans le langage, la vérité est non adéquation, mais anticipation, reprise, glissement de sens, et ne se touche que dans une sorte de distance. Le pensé n'est pas le perçu, la connaissance n'est pas la perception, la parole n'est pas un geste parmi tous les gestes, mais la parole est le véhicule de notre mouvement vers la vérité, comme le corps est le véhicule de l'être au monde.

La perception d'autrui et le dialogue

L'algorithme et la science exacte parlent des *choses*, ils ne supposent chez leur interlocuteur idéal que la connaissance des définitions, ils ne cherchent pas à le séduire, n'attendent de lui aucune complicité, et en principe le conduisent comme par la main de ce qu'il sait à ce qu'il doit apprendre, sans qu'il ait à quitter l'évidence intérieure pour l'entraînement de la parole. Si même dans cet ordre des pures significations et des purs signes, le sens nouveau ne sort du sens ancien que par une transformation qui se fait hors de l'algorithme, qui est toujours supposée par lui, si donc la vérité mathématique n'apparaît qu'à un sujet pour qui il y a des structures, des situations, une perspective, à plus forte raison devons-nous admettre que la connaissance « langagière » suscite dans les significations données des transformations qui n'y étaient contenues que comme la littérature française est contenue dans la langue française, ou les œuvres futures d'un écrivain dans son style — et définir comme la fonction même de la parole son pouvoir de dire au total plus qu'elle ne dit mot par mot, et de se devancer elle-même, qu'il s'agisse de lancer autrui vers ce que je sais et qu'il n'a pas encore compris, ou de me porter moi-même vers ce que je vais comprendre.

Cette anticipation, cet empiétement, cette transgression, cette opération violente par lesquels je construis dans la figure, je transforme l'opération, je les fais devenir ce qu'elles sont, je les change en elles-mêmes — dans la littérature ou dans la philosophie, c'est la parole qui l'accomplit. Et, bien sûr, pas plus que dans la géométrie le fait physique d'un nouveau tracé n'est une construction, pas davantage dans les arts de la parole l'existence physique des sons, le tracé des lettres sur le papier, ou même la présence de fait de tels mots selon le sens que leur donne le dictionnaire, de telles phrases toutes faites, ne suffit à faire le sens : l'opération a son dedans et toute la suite des paroles n'en est que le sillage, n'en indique que les points de passage. Mais les significations acquises ne contiennent la signification nouvelle qu'à l'état de trace ou d'horizon, c'est elle qui se reconnaîtra en elles et même en les reprenant elle les oubliera dans ce qu'elles avaient de partiel et de naïf; elle ne rallume que des reflets instantanés dans la profondeur du savoir passé, elle ne le touche qu'à distance. De lui à elle il y a invocation, d'elle à lui réponse et acquiescement, et ce qui relie dans un seul mouvement la suite des mots dont est fait un livre, c'est une même imperceptible déviation par rapport à l'usage, c'est la constance d'une certaine bizarrerie. On peut, en entrant dans une pièce, voir que *quelque chose* a été changé, sans savoir dire quoi. En entrant dans un livre, j'éprouve que tous les mots ont changé, sans pouvoir dire en quoi. Nou-

veauté d'usage, définie par une certaine et constante
déviation dont nous ne savons pas d'abord rendre
compte, le sens du livre est langagier. Les configurations de notre monde sont toutes changées parce
que l'une d'entre elles a été arrachée à sa simple
existence pour représenter toutes les autres et devenir clef ou style de ce monde, moyen général de l'interpréter. On a souvent parlé de ces « pensées » carté-
siennes qui erraient dans saint Augustin, dans Aristote même, mais qui n'y menaient qu'une vie terne
et sans avenir, comme si toute la signification d'une
pensée, tout l'esprit d'une vérité tenait à son relief,
à ses entours, à son éclairage. Saint Augustin est
tombé sur le *Cogito*, le Descartes de la *Dioptrique*
sur l'occasionnalisme, Balzac a rencontré une fois le
ton de Giraudoux — mais ils ne l'ont pas vu et Descartes reste à faire après saint Augustin, Malebranche
après Descartes, Giraudoux après Balzac. Le plus
haut point de vérité n'est donc encore que perspective et nous constatons, à côté de la vérité d'adéquation qui serait celle de l'algorithme, si jamais l'algorithme pouvait se détacher de la vie pensante qui le
porte, une vérité par transparence, recoupement et
reprise, à laquelle nous participons, non pas en tant
que nous pensons *la même chose*, mais en tant que,
chacun à notre manière, nous sommes par elle concer-
nés et atteints. L'écrivain parle bien du monde et
des choses, lui aussi, mais il ne feint pas de s'adresser
en tous à un seul esprit pur, il s'adresse en eux justement à la manière qu'ils ont de s'installer dans le
monde, devant la vie et devant la mort, les prend
là où ils sont, et ménageant entre les objets, les
événements, les hommes, des intervalles, des plans,

des éclairages, il touche en eux les plus secrètes installations, il s'attaque à leurs liens fondamentaux avec le monde et transforme en moyen de vérité leur plus profonde partialité. L'algorithme parle des choses et atteint par surcroît les hommes. L'écrit parle aux hommes et rejoint à travers eux la vérité. Nous ne comprendrons tout à fait cet enjambement des choses vers leur sens, cette discontinuité du savoir, qui est à son plus haut point dans la parole, que si nous le comprenons comme empiètement de moi sur autrui et d'autrui sur moi...

Entrons donc un peu dans le dialogue, — et d'abord dans le rapport silencieux avec autrui, — si nous voulons comprendre le pouvoir le plus propre de la parole.

On ne remarque pas assez qu'autrui ne se présente jamais de face. Même quand, au plus fort de la discussion, je « fais face » à l'adversaire, ce n'est pas dans ce visage violent, grimaçant, ce n'est pas même dans cette voix qui vient vers moi à travers l'espace, que se trouve vraiment l'intention qui m'atteint. L'adversaire n'est jamais tout à fait localisé : sa voix, sa gesticulation, ses tics, ce ne sont que des effets, une espèce de mise en scène, une cérémonie. L'organisateur est si bien masqué, que je suis tout surpris quand mes réponses portent : le prestigieux porte-voix s'embarrasse, laisse tomber quelques soupirs, quelques chevrotements, quelques *signes d'intelligence*; il faut croire qu'il y avait quelqu'un là-bas. Mais où? Non pas dans cette voix trop pleine, non pas dans ce visage zébré de traces comme un objet usé. Pas davantage *derrière* cet appareil : je sais bien qu'il n'y a là que des « ténèbres bourrées d'organes ». Le corps d'autrui est devant moi — mais quant à lui, il mène une singulière existence : *entre* moi qui pense et ce corps, ou plutôt près de moi, de mon côté, il est comme une réplique de moi-même, un double errant, il hante mon entourage plutôt qu'il n'y paraît, il est la réponse inopinée que je reçois d'ailleurs, comme si par miracle les choses se mettaient à dire mes pensées, c'est toujours pour moi qu'elles seraient pensantes et parlantes, puisqu'elles sont choses et que je suis moi *. Autrui, à mes yeux, est donc toujours en marge de ce que je vois et entends, il est de mon côté, il est à mon côté ou derrière moi, il n'est pas en ce lieu que mon regard écrase et vide de tout « intérieur ». Tout autre est un autre moi-même. Il est comme ce double que tel malade sent toujours à son côté, qui lui ressemble comme un frère, qu'il ne saurait jamais fixer sans le faire disparaître, et qui visiblement n'est qu'un prolongement au dehors de lui-même, puisqu'un peu d'attention suffit à le réduire. Moi et autrui sommes comme deux cercles *presque* concentriques, et qui ne se distinguent que par un léger et mystérieux décalage. Cet apparentement est peut-être ce qui nous permettra de comprendre le rapport à autrui, qui par ailleurs est inconcevable si j'essaie d'aborder autrui de face, et par son côté escarpé. Reste qu'autrui n'est pas moi, et qu'il faut bien en venir à l'opposition. Je fais l'autre à mon image, mais comment *peut-il y avoir pour moi une image de moi ?* Ne suis-je pas jusqu'au bout

---

* *Le texte de la phrase est manifestement inachevé. Après* dire mes pensées, *l'auteur a ébauché deux subordonnées qu'il a biffées, puis, lors d'une relecture, sans doute, inscrit en surcharge un* ou comme, *qu'il a laissé sans suite.*

de l'univers, ne suis-je pas, à moi seul, coextensif
à tout ce que je peux voir, entendre, comprendre
ou feindre? Comment, sur cette totalité que je suis,
y aurait-il une vue extérieure? D'où serait-elle donc
prise? C'est bien pourtant ce qui arrive quand autrui
m'apparaît. A cet infini que j'étais quelque chose
encore s'ajoute, un surgeon pousse, je me dédouble,
j'enfante, cet autre est fait de ma substance, et
cependant ce n'est plus moi. Comment cela est-il
possible? Comment le *je pense* pourrait-il émigrer
hors de moi, puisque c'est moi? Les regards que
je promenais sur le monde comme l'aveugle tâte
les objets de son bâton, quelqu'un les a saisis par
l'autre bout, et les retourne contre moi pour me
toucher à mon tour. Je ne me contente plus de
sentir : je sens qu'on me sent, et qu'on me sent
en train de sentir, et en train de sentir ce fait même
qu'on me sent... Il ne faut pas seulement dire que
j'habite désormais un autre corps : cela ne ferait
qu'un second moi-même, un second domicile pour
moi. Mais *il y a un moi qui est autre*, qui siège ailleurs
et me destitue de ma position centrale, quoique,
de toute évidence, il ne puisse tirer que de sa filiation
sa qualité de moi. Les rôles du sujet et de ce qu'il
voit s'échangent et s'inversent : je croyais donner
à ce que je vois son sens de chose vue, et l'une de
ces choses soudain se dérobe à cette condition, le
spectacle en vient à se donner lui-même un spectateur
qui n'est pas moi, et qui est copié sur moi. Comment
cela est-il possible? Comment puis-je voir quelque
chose qui se mette à voir?

Nous l'avons dit, on ne comprendra jamais qu'autrui apparaisse devant nous; ce qui est devant nous

est objet. Il faut bien comprendre que le problème n'est pas celui-là. Il est de comprendre comment je me dédouble, comment je me décentre. L'expérience d'autrui est toujours celle d'une réplique de moi, d'une réplique à moi. La solution est à chercher du côté de cette étrange filiation qui pour toujours fait d'autrui mon second, même quand je le préfère à moi et me sacrifie à lui. C'est au plus secret de moi-même que se fait l'étrange articulation avec autrui; le mystère d'autrui n'est pas autre que le mystère de moi-même. Qu'un second spectateur du monde puisse naître de moi, cela n'est pas exclu, c'est au contraire rendu possible par moi-même, si du moins je fais état de mes propres paradoxes. Ce qui fait que je suis unique, ma propriété fondamentale de *me* sentir, elle * tend paradoxalement à se diffuser; c'est parce que je suis totalité que je suis capable de mettre au monde autrui et de me voir limité par lui. Car le miracle de la perception d'autrui réside d'abord en ceci que tout ce qui peut jamais valoir comme être à mes yeux ne le fait qu'en accédant, directement ou non, à mon champ, en paraissant au bilan de mon expérience, en entrant dans mon monde, ce qui veut dire que tout ce qui est vrai est mien, mais aussi que tout ce qui est mien est vrai et revendique comme son témoin non seulement moi-même en ce que j'ai de limité, mais encore un autre X, et à la limite un spectateur absolu, — si un autre, si un spectateur absolu étaient concevables. Tout est prêt en moi pour accueillir ces témoignages. Reste à savoir com-

---

* *L'auteur a modifié sa phrase initiale qui commençait par* ma propriété primordiale; *il n'a pas corrigé* elle *qui renvoyait à ce premier sujet.*

ment ils pourront jamais s'introduire jusqu'en moi. Ce sera encore parce que le mien est mien, et parce que mon champ vaut pour moi comme milieu universel de l'être. Je regarde cet homme immobile dans le sommeil, et qui soudain s'éveille. Il ouvre les yeux, il fait un geste vers son chapeau tombé à côté de lui et le prend pour se garantir du soleil. Ce qui finalement me convainc que mon soleil est aussi à lui, qu'il le voit et le sent comme moi, et qu'enfin nous sommes deux à percevoir le monde, c'est précisément ce qui, à première vue, m'interdit de concevoir autrui : à savoir que son corps fait partie de mes objets, qu'il est l'un d'eux, qu'il figure dans mon monde. Quand l'homme endormi parmi mes objets commence à leur adresser des gestes, à user d'eux, je ne puis douter un instant que le monde auquel il s'adresse soit vraiment le même que je perçois. *S'il perçoit quelque chose*, ce sera bien mon propre monde puisqu'il y prend naissance. Mais pourquoi le percevrait-il, comment même pourrais-je concevoir qu'il le fasse? Si ce qu'il va percevoir, inévitablement, est cela même qui est perçu de moi, du moins cette perception sienne du monde que je suis en train de supposer n'a pas de place dans mon monde. Où la mettrai-je? Elle n'est pas dans ce corps, qui n'est que tissus, sang et os Elle n'est pas sur le trajet de ce corps aux choses car il n'y a, sur ce trajet, que des choses encore, ou des rayons lumineux, des vibrations, et voilà longtemps qu'on a renoncé aux images voltigeantes d'Épicure. Quant à l' « esprit », c'est moi je ne peux donc y mettre cette autre perceptioi. du monde Autrui donc n'est pas dans les choses il n'est pas dans son corps et il n'est pas moi. Nous ne pouvons le mettre nulle part et effectivement nous ne le mettons nulle part, ni dans l'en-soi, ni dans le pour-soi, qui est moi. Il n'y a place pour lui que dans *mon champ*, mais cette place-là du moins est prête pour lui depuis que j'ai commencé de percevoir. Depuis le premier moment où j'ai usé de mon corps pour explorer le monde, j'ai su que ce rapport corporel au monde pouvait être généralisé, une infime distance s'est établie entre moi et l'être qui réservait les droits d'une autre perception du même être. Autrui n'est nulle part dans l'être, c'est par-derrière qu'il se glisse dans ma perception : l'expérience que je fais de ma prise sur le monde est ce qui me rend capable d'en reconnaître une autre et de percevoir un autre moi-même, si seulement, à l'intérieur de mon monde, s'ébauche un geste semblable au mien. Au moment où l'homme s'éveille dans le soleil et tend la main vers son chapeau, entre ce soleil qui *me* brûle et fait cligner *mes* yeux, et le geste qui *là-bas* de loin porte remède à ma fatigue, entre ce front consumé là-bas et le geste de protection qu'il appelle de ma part, un lien est noué sans que j'aie besoin de rien décider, et si je suis à jamais incapable de vivre effectivement la brûlure que l'autre subit, la morsure du monde telle que je la sens sur mon corps est blessure pour tout ce qui y est exposé comme moi, et particulièrement pour ce corps qui commence à se défendre contre elle. C'est elle qui vient animer le dormeur tout à l'heure immobile, et qui vient s'ajuster à ses gestes comme leur raison d'être.

En tant qu'il adhère à mon corps comme la

tunique de Nessus, le monde n'est pas seulement pour moi, mais pour tout ce qui, en lui, fait signe vers lui. Il y a une universalité du sentir — et c'est sur elle que repose notre identification, la généralisation de mon corps, la perception d'autrui. Je perçois des comportements immergés dans le même monde que moi parce que le monde que je perçois traîne encore avec lui ma corporéité, que ma perception est impact du monde sur moi et prise de mes gestes sur lui, de sorte que, entre les choses que visent les gestes du dormeur et ces gestes mêmes, en tant que les uns et les autres font partie de mon champ, il y a non seulement le rapport extérieur d'un objet à un objet, mais, comme du monde à moi, impact, comme de moi au monde, prise. Et si l'on demande encore comment ce rôle de sujet incarné, qui est le mien, je suis amené à le confier à « d'autres », et pourquoi enfin des mouvements d'autrui m'apparaissent comme gestes, l'automate s'anime, et autrui est là, il faut répondre, en dernière analyse, que c'est parce que ni le corps d'autrui, ni les objets qu'il vise, n'ont jamais été objets purs pour moi, qu'ils sont intérieurs à mon champ et à mon monde, qu'ils sont donc d'emblée des variantes de ce rapport fondamental (même des choses je dis que l'une « regarde » vers l'autre ou lui « tourne le dos »). Un champ n'exclut pas un autre champ comme un acte de conscience absolue, par exemple une décision, en exclut un autre, il tend même, de soi, à se multiplier, parce qu'il est l'ouverture par laquelle, comme corps, je suis « exposé » au monde, qu'il n'a donc pas cette absolue densité d'une pure conscience qui rend impossible pour elle toute autre conscience, et que, généralité lui-même, il ne se saisit guère que comme l'un de ses semblables... C'est dire qu'il n'y aurait pas d'autres pour moi, ni d'autres esprits, si je n'avais un corps et s'ils n'avaient un corps par lequel ils puissent se glisser dans mon champ, le multiplier du dedans, et m'apparaître en proie au même monde, en prise sur le même monde que moi. Que tout ce qui est pour moi soit mien et ne vaille pour moi comme être qu'à condition de venir s'encadrer dans mon champ, cela n'empêche pas, cela au contraire rend possible l'apparition d'autrui, parce que mon rapport à moi-même est déjà généralité. Et de là vient que, comme nous le disions en commençant, autrui s'insère toujours à la jointure du monde et de nous-mêmes, qu'il soit toujours en deçà des choses, et plutôt de notre côté qu'en elles; c'est qu'il est un moi généralisé, c'est qu'il a son lieu, non dans l'espace objectif, qui, comme Descartes l'a bien dit, est sans esprit, mais dans cette « localité » anthropologique, milieu louche où la perception irréfléchie se meut à son aise, mais toujours en marge de la réflexion, impossible à constituer, toujours déjà constitué : nous trouvons autrui comme nous trouvons notre corps. Dès que nous le regardons en face, il se réduit à la condition modeste d'un quelque chose innocent et que l'on peut tenir à distance. Et c'est derrière nous qu'il existe, comme les choses prennent leur indépendance absolue en marge de notre champ visuel. On a souvent, et avec raison, protesté contre l'expédient des psychologues qui, ayant à comprendre, par exemple, comment la nature est pour nous animée, ou comment il

y a d'autres esprits, s'en tirent en parlant d'une
« projection » de nous-mêmes dans les choses — ce
qui laisse la question entière, puisqu'il reste à savoir
quels motifs dans l'aspect même des choses extérieures nous invitent à cette projection, et comment
des choses peuvent « faire signe » à l'esprit. Nous
ne songeons pas ici à cette projection des psychologues qui fait déborder notre expérience de nous-
mêmes ou du corps sur un monde extérieur qui
n'aurait avec elle aucune relation de principe. Nous
essayons au contraire de réveiller un rapport charnel
au monde et à autrui, qui n'est pas un accident sur-
venu du dehors à un pur sujet de connaissance (comment pourrait-il le recevoir en lui?), « un contenu »
d'expérience parmi beaucoup d'autres, mais notre
insertion première dans le monde et dans le vrai.

Peut-être à présent sommes-nous en mesure de
comprendre au juste quel accomplissement la parole
représente pour nous, comment elle prolonge et comment elle transforme le rapport muet avec autrui. En
un sens, les paroles d'autrui ne percent pas notre
silence, elles ne peuvent nous donner rien de plus que
ses gestes : la difficulté est la même de comprendre
comment des mots arrangés en propositions peuvent
nous signifier autre chose que notre propre pensée, —
et comment les mouvements d'un corps ordonnés en
gestes ou en conduites peuvent nous présenter quelqu'un d'autre que nous, — comment nous pouvons
trouver dans ces spectacles autre chose que ce que
nous y avons mis. La solution ici et là est la même.
Elle consiste, en ce qui concerne notre rapport muet
à autrui, à comprendre que notre sensibilité au
monde, notre rapport de synchronisation avec lui

— c'est-à-dire notre corps — thèse sous-entendue par toutes nos expériences, ôte à notre existence la densité d'un acte absolu et unique, fait de la « corporéité » une signification transférable, rend possible une « situation commune », et finalement la perception d'un autre nous-même, sinon dans l'absolu de son existence effective, du moins dans le dessin général qui nous en est accessible. De même, en ce qui concerne ce geste particulier qu'est la parole, la solution consistera à reconnaître que, dans l'expérience du dialogue, la parole d'autrui vient toucher en nous nos significations, et nos paroles vont, comme l'attestent les réponses, toucher en lui ses significations, nous empiétons l'un sur l'autre en tant que nous appartenons au même monde culturel, et d'abord à la même langue, et que mes actes d'expression et ceux d'autrui relèvent de la même institution. Toutefois cet usage « général » de la parole en suppose un autre, plus fondamental — comme ma coexistence avec mes semblables suppose que je les aie d'abord reconnus comme semblables, en d'autres termes que mon champ se soit révélé source inépuisable d'être, et non seulement d'être pour moi, mais encore d'être pour autrui. Comme notre appartenance commune à un même monde suppose que mon expérience, à titre original, soit expérience de l'être, de même notre appartenance à une langue commune ou même à l'univers commun du langage suppose un rapport primordial de moi à ma parole qui lui donne la valeur d'une dimension de l'être, participable par X. Par ce rapport, l'autre moi-même peut devenir autre et peut devenir moi-même en un sens beaucoup plus radical. La langue commune que nous parlons est quelque chose comme la corporéité anonyme que je partage avec les autres organismes. Le simple usage de cette langue, comme les comportements institués dont je suis l'agent et le témoin, ne me donnent qu'un autre en général, diffus à travers mon champ, un espace anthropologique ou culturel, un individu d'espèce, pour ainsi dire, et en somme plutôt une notion qu'une présence. Mais l'opération expressive et en particulier la parole, prise à l'état naissant, établit une situation commune qui n'est plus seulement communauté d'*être* mais communauté de *faire* *. C'est ici qu'a vraiment lieu l'entreprise de communication, et que le silence paraît rompu. Entre le geste « naturel » (si jamais on en peut trouver un seul qui ne suppose ou ne crée un édifice de significations) et la parole, il y a cette différence qu'il montre des objets donnés par ailleurs à nos sens, au lieu que le geste d'expression, et en particulier la parole, est chargé de révéler non seulement des rapports entre termes donnés par ailleurs, mais jusqu'aux termes mêmes de ces rapports. La sédimentation de la culture, qui donne à nos gestes et à nos paroles un fond

---

* *En marge :* Cela est dû à ce que la parole ne vise pas monde naturel mais monde de spontanéité — non *sensible.* Que devient à ce niveau l'autrui invisible? Il est toujours invisible, de mon côté, derrière moi, etc. Mais non en tant que nous appartenons à une même préhistoire : en tant que nous appartenons à une même *parole.* Cette parole est comme autrui en général, insaisissable, inthématisable, et, dans cette mesure, elle est généralité, non individualité. Mais c'est comme si l'individualité du sentir était sublimée jusqu'à la communication. C'est là la parole que nous avons en vue, et qui donc ne repose pas sur généralité seule. Il faut qu'elle soit surobjective, sur-sens. En elle il n'y a plus de différence entre être singulier et sens. Pas d'opposition entre ma langue et mon œuvre, particulier et universel. Ici l'autre enté sur le même. Parler et écouter indiscernables To speak to et to be spoken to. Nous continuons... Et en même temps violence de la parole. Sursignifiant. Sympathie des totalités.

commun qui va de soi, il a fallu d'abord qu'elle fût
accomplie par ces gestes et ces paroles mêmes, et il
suffit d'un peu de fatigue pour interrompre cette plus
profonde communication. Ici, nous ne pouvons plus,
pour expliquer la communication, invoquer notre
appartenance à un même monde : car c'est cette
appartenance qui est en question et dont il s'agit
justement de rendre compte. Tout au plus peut-on
dire que notre enracinement sur la même terre, notre
expérience d'une même nature est ce qui nous lance
dans l'entreprise : elles * ne sauraient la garantir, elles
ne suffisent pas à l'accomplir. Au moment où la
première signification « humaine » est exprimée, une
entreprise est tentée qui passe notre préhistoire commune, même si elle en prolonge le mouvement : c'est
cette parole conquérante qui nous intéresse, c'est
elle qui rend possible la parole instituée, la langue.
Il faut qu'elle enseigne elle-même son sens, et à celui
qui parle et à celui qui écoute, il ne suffit pas qu'elle
signale un sens déjà possédé de part et d'autre, il
faut qu'elle le fasse être, il lui est donc essentiel de
se dépasser comme geste, elle est le geste qui se
supprime comme tel et se dépasse vers un sens.
Antérieure à toutes les langues constituées, soutien
de leur vie, elle est en retour portée par elles dans
l'existence, et, une fois instituées des significations
communes, elle reporte plus loin son effort. Il faut
donc concevoir son opération hors de toute signification déjà instituée, comme l'acte unique par lequel
l'homme parlant se donne un auditeur, et une
culture qui leur soit commune. Certes, elle n'est nulle
part visible; comme à autrui, je ne puis lui assigner

* *Sic.*

de lieu; comme autrui, elle est plutôt de mon côté que dans les choses, mais je ne puis pas même dire qu'elle soit « en moi » puisqu'elle est aussi bien « dans l'auditeur »; elle est ce que j'ai de plus propre, *ma* productivité, et cependant elle n'est tout cela que pour en faire du sens et le communiquer; l'autre, qui écoute et comprend, me rejoint dans ce que j'ai de plus individuel : c'est comme si l'universalité du sentir, dont nous avons parlé, cessait enfin d'être universalité pour moi, et se redoublait enfin d'une universalité reconnue. Ici les paroles d'autrui ou les miennes en lui ne se bornent pas dans celui qui écoute à faire vibrer, comme des cordes, l'appareil des significations acquises, ou à susciter quelque réminiscence : il faut que leur déroulement ait le pouvoir de me lancer à mon tour vers une signification que ni lui ni moi ne possédions. De même que, percevant un organisme qui adresse à l'entourage des gestes, j'en viens à le percevoir percevant, parce que leur organisation interne est celle même de mes conduites et qu'ils me parlent de mon propre rapport au monde, de même, quand je parle à autrui et l'écoute, ce que j'entends vient s'insérer dans les intervalles de ce que je dis, ma parole est recoupée latéralement par celle d'autrui, je m'entends en lui et il parle en moi, c'est ici la même chose *to speak to* et *to be spoken to*. Tel est le fait irréductible que recèle toute expression militante, et que l'expression littéraire nous rendrait présent si nous étions tentés de l'oublier.

Car elle renouvelle sans cesse la médiation du même et de l'autre, elle nous fait vérifier perpétuellement qu'il n'y a signification que par un mouvement,

violent d'abord, qui passe toute signification. Mon
rapport avec un livre commence par la familiarité
facile des mots de notre langue, des idées qui font
partie de notre équipement, comme ma perception
d'autrui est à première vue celle des gestes ou des
comportements de « l'espèce humaine ». Mais, si le
livre m'apprend vraiment quelque chose, si autrui
est vraiment un autre, il faut qu'à un certain moment
je sois surpris, désorienté, et que nous nous rencon-
trions, non plus dans ce que nous avons de semblable, mais dans ce que nous avons de différent, et
ceci suppose une transformation de moi-même et
d'autrui aussi bien : il faut que nos différences ne
soient plus comme des qualités opaques, il faut
qu'elles soient devenues sens. Dans la perception
d'autrui, cela se produit lorsque l'autre organisme,
au lieu de « se comporter » comme moi, use envers
les choses de mon monde d'un style qui m'est d'abord
mystérieux, mais qui du moins m'apparaît d'emblée
comme style, parce qu'il répond à certaines possibilités dont les choses de mon monde étaient nim-
bées. De même, dans la lecture, il faut qu'à un certain moment l'intention de l'auteur m'échappe, il
faut qu'il se retranche; alors je reviens en arrière,
je reprends de l'élan, ou bien je passe outre et, plus
tard, un mot heureux me fera rejoindre, me conduira
au centre de la nouvelle signification, j'y accéderai
par celui de ses « côtés » qui déjà fait partie de
mon expérience. La rationalité, l'accord des esprits
n'exigent pas que nous allions tous à la même idée
par la même voie, ou que les significations puissent
être enfermées dans une définition, elle exige seulement que toute expérience comporte des points

d'amorçage pour toutes les idées et que les « idées »
aient une configuration. Cette double postulation est
celle d'un *monde*, mais, comme il ne s'agit plus ici
de l'unité attestée par l'universalité du sentir, comme
celle dont nous parlons est invoquée plutôt que
constatée, comme elle est *presque* invisible et construite sur l'édifice de nos signes, nous l'appelons
monde culturel et nous appelons parole le pouvoir
que nous avons de faire servir certaines choses conve-
nablement organisées, — le noir et le blanc, le son
de la voix, les mouvements de la main, — à mettre
en relief, à différencier, à conquérir, à thésauriser les
significations qui traînent à l'horizon du monde sensible, ou encore d'insuffler dans l'opacité du sensible
ce vide qui le rendra transparent, mais qui lui-même,
comme l'air soufflé dans la bouteille, n'est jamais
sans quelque réalité substantielle. De même donc
que notre perception des autres vivants dépend finalement de l'évidence du monde senti, qui s'offre à
des conduites autres et pourtant compréhensibles
— de même la perception d'un véritable *alter ego*
suppose que son discours, au moment où nous le
comprenons et surtout au moment où il se retranche
de nous et menace de devenir non-sens, ait le pouvoir
de nous refaire à son image et de nous ouvrir à un
autre sens. Ce pouvoir, il ne le possède pas devant
moi comme conscience : une conscience ne saurait
trouver dans les choses que ce qu'elle y a mis. Il
peut se faire valoir devant moi en tant que je suis
moi aussi parole, c'est-à-dire capable de me laisser
conduire par le mouvement du discours vers une
nouvelle situation de connaissance. Entre moi comme
parole et autrui comme parole, ou plus générale-

ment moi comme expression et autrui comme expression, il n'y a plus cette alternative qui fait du rapport des consciences une rivalité. Je ne suis pas
seulement actif quand je parle, mais je précède ma
parole dans l'auditeur; je ne suis pas passif quand
j'écoute, mais je parle d'après... ce que dit l'autre.
Parler n'est pas seulement une initiative mienne,
écouter n'est pas subir l'initiative de l'autre, et cela,
en dernière analyse, parce que comme sujets parlants nous *continuons*, nous reprenons un même
effort, plus vieux que nous, sur lequel nous sommes
entés l'un et l'autre, et qui est la manifestation, le
devenir de la vérité. Nous disons que le vrai a toujours été vrai, mais c'est une manière confuse de
dire que toutes les expressions antérieures revivent
et reçoivent leur place dans celle d'à présent, ce qui
fait qu'on peut, si l'on veut, la lire en elles après
coup, mais, plus justement, les retrouver en elle. Le
fondement de la vérité n'est pas hors du temps, il
est dans l'ouverture de chaque moment de la connaissance à ceux qui le reprendront et le changeront en
son sens. Ce que nous appelons parole n'est rien
d'autre que cette anticipation et cette reprise, ce
toucher à distance, qui ne sauraient se concevoir
eux-mêmes en termes de contemplation, cette profonde connivence du temps avec lui-même. Ce qui
masque le rapport vivant des sujets parlants, c'est
qu'on prend toujours pour modèle de la parole
l'*énoncé* ou l'*indicatif*, et on le fait parce qu'on
croit qu'il n'y a, hors des énoncés, que les balbutiements, la déraison. C'est oublier tout ce qu'il
entre de tacite, d'informulé, de non-thématisé dans
les énoncés de la science, qui contribue à en déter-

miner le sens et qui justement donne à la science de demain son champ d'investigations. C'est oublier toute l'expression littéraire où nous aurons justement à repérer ce qu'on pourrait appeler la « sursignification », et à la distinguer du non-sens. En fondant la signification sur la parole, nous voulons dire que le propre de la signification est de n'apparaître jamais que comme suite d'un discours déjà commencé, initiation à une langue déjà instituée. La signification paraît précéder les écrits qui la manifestent, non qu'ils fassent descendre sur la terre des idées qui préexisteraient dans un ciel intelligible, ou dans la Nature ou dans les Choses, mais parce que c'est le fait de chaque parole de n'être pas seulement expression de *ceci*, mais de se donner d'emblée comme fragment d'un discours universel, d'annoncer un système d'interprétation. Ce sont les aphasiques qui ont besoin, pour conduire une conversation, de « points d'appui », choisis d'avance, ou, pour écrire sur une page blanche, de quelque indication, — ligne tracée d'avance ou seulement tache d'encre sur le papier, — qui les arrache au vertige du vide et leur permette de *commencer*. Et, s'il l'on peut rapprocher l'excès d'impulsion et le défaut, c'est Mallarmé, à l'autre extrémité du champ de la parole, qui est fasciné par la page blanche, parce qu'il voudrait dire le tout, qui diffère indéfiniment d'écrire le Livre, et qui nous laisse, sous le nom de son *œuvre*, des écrits que les circonstances lui ont arrachés — que la faiblesse, que son heureuse faiblesse, s'est furtivement permis. L'écrivain heureux, l'homme parlant n'ont pas tant ou si peu de conscience. Ils ne se demandent pas, avant de parler, si la parole est pos-

sible, ils ne s'arrêtent pas à la passion du langage qui
est d'être obligé de ne pas dire tout si l'on veut dire
quelque chose. Ils se placent avec bonheur à l'ombre
de ce grand arbre, ils continuent à voix haute le
monologue intérieur, leur pensée germe en parole, ils
sont compris sans l'avoir cherché, ils se font autres
en disant ce qu'ils ont de plus propre. Ils sont bien
en eux-mêmes, ils ne se sentent pas exilés d'autrui,
et, parce qu'ils sont pleinement convaincus que ce
qui leur apparaît évident est vrai, ils le disent tout
simplement, ils franchissent les ponts de neige sans
voir comme ils sont fragiles, ils usent jusqu'au bout
de ce pouvoir inouï qui est donné à chaque conscience, si elle se croit coextensive au vrai, d'en
convaincre les autres, et d'entrer dans leur réduit.
Chacun, en un sens, est pour soi la totalité du
monde et, par une grâce d'État, c'est lorsqu'il en
est convaincu que cela devient vrai : car alors il
parle, et les autres le comprennent — et la totalité
privée fraternise avec la totalité sociale. Dans la
parole se réalise l'impossible accord des deux totalités rivales, non qu'elle nous fasse rentrer en nous-
mêmes et retrouver quelque esprit unique auquel
nous participerions, mais parce qu'elle nous concerne,
nous atteint de biais, nous séduit, nous entraîne,
nous transforme en l'autre, et lui en nous, parce
qu'elle abolit les limites du mien et du non-mien et
fait cesser l'alternative de ce qui a sens pour moi et
de ce qui est non-sens pour moi, de moi comme
sujet et d'autrui comme objet. Il est bon que certains essaient de faire obstacle à l'intrusion de ce
pouvoir spontané et y opposent leur rigueur et leur
mauvaise volonté. Mais leur silence finit par des

paroles encore, et à bon droit : il n'y a pas de silence qui soit pure attention, et qui, commencé noblement, reste égal à lui-même. Comme le disait Maurice Blanchot, Rimbaud passe au-delà de la parole, — et finit par *écrire encore*, mais ces lettres d'Abyssinie qui réclament, sans trace d'humour, une honnête aisance, une famille et la considération publique... On accepte donc toujours le mouvement de l'expression; on ne cesse pas d'en être tributaire pour l'avoir refusé. Comment appeler finalement ce pouvoir auquel nous sommes voués et qui tire de nous, bon gré mal gré, des significations? Ce n'est pas, certes, un dieu, puisque son opération dépend de nous; et ce n'est pas un malin génie, puisqu'il porte la vérité; ce n'est pas la « condition humaine » — ou, s'il est « humain », c'est au sens où l'homme détruit la généralité de l'espèce, et se fait admettre des autres dans sa singularité la plus reculée. C'est encore en l'appelant parole ou spontanéité que nous désignerons le mieux ce geste ambigu qui fait de l'universel avec le singulier, et du sens avec notre vie.

L'expression et le dessin enfantin

Notre temps a privilégié toutes les formes d'expression élusives et allusives, donc tout d'abord l'expression picturale, et en elle l'art des « primitifs », le dessin des enfants et des fous. Puis tous les genres de poésie involontaire, le « témoignage », ou la langue parlée. Mais, sauf chez ceux de nos contemporains dont la névrose fait tout le talent, le recours à l'expression brute ne se fait pas *contre* l'art des musées ou contre la littérature classique. Il est au contraire de nature à nous les rendre vivants en nous rappelant le pouvoir créateur de l'expression qui porte aussi bien que les autres l'art et la littérature « objectifs », mais que nous avons cessé de sentir en eux précisément parce que nous sommes installés, comme sur un sol naturel, sur les acquisitions qu'ils nous ont laissées. Après l'expérience des modes d'expression non canoniques, l'art et la littérature classiques se présentent comme la conquête jusqu'ici la plus réussie d'un pouvoir d'expression qui n'est pas fondé en nature, mais qui s'est en eux montré assez éloquent pour que des siècles entiers aient pu le croire coextensif au monde.

Pour nous donc, ils sont redevenus ce qu'ils n'avaient jamais cessé d'être : une création historique — avec tout ce que cela implique de risque, mais aussi de partialité ou d'étroitesse. Ce que nous appelons art et littérature *signifiants* ne signifie que dans une certaine aire de culture, et doit donc être rattaché à un pouvoir plus général de signifier. La littérature et l'art « objectifs » qui ne croient faire appel qu'à des significations déjà présentes dans tout homme et dans les choses sont, forme et fond, inventés, et il n'y a d'objectivité que parce que d'abord un pouvoir d'expression surobjectif a ouvert pour des siècles un champ commun de langage, il n'y a de signification que parce qu'un geste sursignifiant s'est enseigné, s'est fait comprendre lui-même, dans le risque et la partialité de toute création. Avant de rechercher, au chapitre suivant, ce que peuvent être les rapports de l'opération expressive avec le penseur qu'elle suppose et qu'elle forme, avec l'histoire qu'elle continue et recrée, replaçons-nous en face d'elle, de sa contingence et de ses risques.

L'illusion objectiviste est bien installée en nous. Nous sommes convaincus que l'acte d'exprimer, dans sa forme normale ou fondamentale, consiste, étant donné une signification, à construire un système de signes tel qu'à chaque élément du signifié corresponde un élément du signifiant, c'est-à-dire à *représenter*. C'est avec ce postulat que nous commençons l'examen des formes d'expression les plus elliptiques — qui du même coup sont dévalorisées — par exemple de l'expression enfantine. Représenter, ce sera ici, étant donné un objet ou un spectacle, le reporter et en fabriquer sur le papier une sorte

d'équivalent, de telle manière qu'en principe tous
les éléments du spectacle soient signalés sans équivoque et sans empiétement. La perspective planimétrique est sans doute la seule solution du problème
posé en ces termes, et l'on décrira le développement
du dessin de l'enfant comme une marche vers la
perspective. Nous avons fait voir plus haut qu'en
tout cas la perspective planimétrique ne saurait
être donnée comme une expression du monde que
nous percevons, ni donc revendiquer un privilège
de conformité à l'objet, et cette remarque nous
oblige à reconsidérer le dessin de l'enfant. Car nous
n'avons plus maintenant le droit ni le besoin de
le définir seulement par rapport au moment final
où il rejoint la perspective planimétrique. Réalisme
fortuit, réalisme manqué, réalisme intellectuel, réalisme visuel enfin, dit Luquet, quand il veut en
décrire les progrès [1]. Mais la perspective planimétrique n'est pas réaliste, nous l'avons vu, c'est une
construction; et, pour comprendre les phases qui
la précèdent, il ne nous suffit plus de parler d'*inatten-
tion*, d'*incapacité synthétique*, comme si le dessin
perspectif était déjà là, sous les yeux de l'enfant,
et que tout le problème fût d'expliquer pourquoi
il ne s'en inspire pas. Il nous faut au contraire
comprendre pour eux-mêmes et comme accomplissement positif, les modes d'expression primordiaux.
On n'est *obligé* de représenter un cube par un
carré et deux losanges adjoints à l'un de ses côtés
et à sa base que *si* l'on a résolu de projeter le spectacle
sur le papier, c'est-à-dire de fabriquer un relevé

1. Luquet, *Le dessin enfantin*, Alcan, 1927.

où puissent figurer, avec l'objet, la base sur laquelle il repose, les objets voisins, leurs orientations respectives selon la verticale et l'horizontale, leur échelonnement en profondeur, où les valeurs numériques de ces différents rapports puissent être retrouvées et lues selon une échelle unique, — bref où l'on puisse rassembler le maximum de *renseignements* non pas tant sur le spectacle que sur les invariants qui se retrouvent dans la perception de tout spectateur quel que soit son point de vue. D'une manière qui n'est paradoxale qu'en apparence, la perspective planimétrique est prise d'un certain point de vue, mais pour obtenir une notation du monde qui soit valable pour tous. Elle fige la perspective vécue, elle adopte pour représenter le perçu, un indice de déformation caractéristique de mon point de station, mais, justement par cet artifice, elle construit une image qui est immédiatement traduisible dans l'optique de tout autre point de vue, et qui, en ce sens, est image d'un monde en soi, d'un géométral de toutes les perspectives. Elle donne à la subjectivité une satisfaction de principe par la déformation qu'elle admet dans les apparences, mais comme cette déformation est systématique et se fait selon le même indice dans toutes les parties du tableau, elle me transporte dans les choses mêmes, elle me les montre comme Dieu les voit, ou plus exactement elle me donne non la vision humaine du monde, mais *la connaissance que peut avoir d'une vision humaine* un dieu qui ne trempe pas dans la finitude. C'est là un but que l'on peut se proposer dans l'expression du monde. Mais on peut avoir une autre intention. Nous pouvons chercher à rendre

notre rapport avec le monde, non ce qu'il est au
regard d'une intelligence infinie, et du coup le type
canonique, normal, ou « vrai » de l'expression cesse
d'être la perspective planimétrique; nous voilà déli-
vrés des contraintes qu'elle imposait au dessin, libres,
par exemple, d'exprimer un cube par six carrés
« disjoints » et juxtaposés sur le papier, libres d'y
faire figurer les deux faces d'une bobine et de les
réunir par une sorte de tuyau de poêle coudé, libres
de représenter le mort par transparence dans son
cercueil, le regard par des yeux séparés de la tête,
libres de ne pas marquer les contours « objectifs »
de l'allée ou du visage, et par contre d'indiquer
les joues par un rond. C'est ce que fait l'enfant.
C'est aussi ce que fait Claude Lorrain quand il
rend la présence de la lumière par des ombres qui
la cernent, plus éloquemment qu'il ne le ferait en
essayant de dessiner le faisceau lumineux. C'est
que le but n'est plus ici de construire un signalement
« objectif » du spectacle, et de communiquer avec
celui qui regardera le dessin en lui donnant l'armature
de relations numériques qui sont vraies pour toute
perception de l'objet. Le but est de marquer sur
le papier une trace de notre contact avec cet objet
et ce spectacle, en tant qu'ils font vibrer notre
regard, virtuellement notre toucher, nos oreilles,
notre sentiment du hasard ou du destin ou de la
liberté. Il s'agit de déposer un témoignage, et non
plus de fournir des renseignements. Le dessin ne
devra plus *se lire* comme tout à l'heure, le regard
ne le dominera plus, nous n'y chercherons plus le
plaisir d'embrasser le monde; il sera reçu, il nous
concernera comme une parole décisive, il réveillera

en nous le profond arrangement qui nous a installés dans notre corps et par lui dans le monde, il portera le sceau de notre finitude, mais ainsi, et par là même, il nous conduira à la substance secrète de l'objet dont tout à l'heure nous n'avions que l'enveloppe. La perspective planimétrique nous donnait la finitude de notre perception, projetée, aplatie, devenue *prose* sous le regard d'un dieu, les moyens d'expression de l'enfant, quand ils auront été repris délibérément par un artiste dans un vrai geste créateur nous donneront au contraire la résonance secrète par laquelle notre finitude s'ouvre à l'être du monde et se fait poésie. Et il faudrait dire de l'expression du temps ce que nous venons de dire de l'expression de l'espace. Si, dans ses « narrations graphiques », l'enfant réunit en une seule image les scènes successives de l'histoire, et n'y fait figurer qu'une seule fois les éléments invariables du décor, ou même y dessine une seule fois chacun des personnages pris dans l'attitude qui convient à tel moment du récit — de sorte qu'il porte à lui seul toute l'histoire dans le moment considéré, et que tous ensemble dialoguent à travers l'épaisseur du temps et jalonnent de loin en loin l'histoire — au regard de l'adulte « raisonnable », qui pense le temps comme une série de points temporels juxtaposés, ce récit peut paraître lacunaire et obscur. Mais selon le temps que nous vivons, le présent touche encore, tient encore en main le passé, il est avec lui dans une étrange coexistence, et les ellipses de la narration graphique peuvent seules exprimer ce mouvement de l'histoire qui enjambe son présent vers son avenir, comme le « rabattement » exprime

la coexistence des aspects invisibles et des aspects
visibles de l'objet, ou la présence secrète de l'objet
dans le meuble où on l'a enfermé. Et certes il y a
bien de la différence entre le dessin involontaire
de l'enfant, résidu d'une expérience indivise, ou
même pris avec les gestes plastiques, faux dessin
— comme il y a une fausse écriture, et la fausse
parole du babillage — et la véritable expression des
apparences, qui ne se contente pas d'exploiter le
monde tout fait du corps et y ajoute celui d'un
principe d'expression systématique. Mais ce qui est
avant l'objectivité symbolise comme ce qui est au-
dessus, et le dessin enfantin replace le dessin « objectif » dans la série des opérations expressives qui
cherchent, sans aucune garantie, à récupérer l'être
du monde, et nous le fait apercevoir comme cas
particulier de cette opération. La question avec un
peintre n'est jamais de savoir s'il use ou s'il n'use
pas de la perspective planimétrique : elle est de
savoir s'il l'observe comme une recette infaillible
de fabrication — c'est alors qu'il oublie sa tâche
et qu'il n'est pas peintre — ou s'il la retrouve sur
le chemin d'un effort d'expression avec lequel elle
se trouve être compatible ou même où elle joue le
rôle d'un auxiliaire utile, mais dont elle ne donne
pas le sens entier. Cézanne renonce à la perspective
planimétrique pendant toute une partie de sa carrière parce qu'il veut exprimer par la couleur et
que la richesse expressive d'une pomme la fait
déborder ses contours, et ne peut se contenter de
l'espace qu'ils lui prescrivent. Un autre — ou Cézanne
lui-même dans sa dernière période — observe les
« lois » de la perspective ou plutôt n'a pas besoin

d'y déroger parce qu'il cherche l'expression par le tracé, et n'a plus besoin de remplir sa toile. L'important est que la perspective, même quand elle est là, ne soit présente que comme les règles de la grammaire sont présentes dans un style. Les objets de la peinture moderne « saignent », répandent sous nos yeux leur substance, ils interrogent directement notre regard, ils mettent à l'épreuve le pacte de coexistence que nous avons conclu avec le monde par tout notre corps. Les objets de la peinture classique ont une manière plus discrète de nous parler, et c'est quelquefois une arabesque, un trait de pinceau presque sans matière qui fait appel à notre incarnation, pendant que le reste du langage s'installe décemment à distance, dans le révolu ou dans l'éternel, et s'abandonne aux bienséances de la perspective planimétrique. L'essentiel est que, dans un cas comme dans l'autre, jamais l'universalité du tableau ne résulte des rapports numériques qu'il peut contenir, jamais la communication du peintre à nous ne se fonde sur l'objectivité prosaïque, et que toujours la constellation des signes nous guide vers une signification qui n'était nulle part avant elle.

Or ces remarques sont applicables au langage.

DU MÊME AUTEUR

Aux Éditions Gallimard

PHÉNOMÉNOLOGIE DE LA PERCEPTION.

HUMANISME ET TERREUR *(Essai sur le problème communiste).*

ÉLOGE DE LA PHILOSOPHIE. *Leçon inaugurale au Collège de France, 15 janvier 1953.*

LES AVENTURES DE LA DIALECTIQUE.

SIGNES.

L'ŒIL ET L'ESPRIT.

LE VISIBLE ET L'INVISIBLE suivi de NOTES DE TRAVAIL.

ÉLOGE DE LA PHILOSOPHIE et autres essais.

RÉSUMÉS DE COURS. *Collège de France 1952-1960*

LA PROSE DU MONDE.

Chez d'autres éditeurs

LA STRUCTURE DU COMPORTEMENT *(Presses Universitaires de France).*

SENS ET NON-SENS *(Éditions Nagel).*

tel

Dernières parutions

Ouvrage reproduit
par procédé photomécanique.
Impression S.E.P.C.
à Saint-Amand (Cher), le 20 octobre 1992.
Dépôt légal : octobre 1992.
Numéro d'imprimeur : 1876.
ISBN 2-07-72844-7./Imprimé en France.